Civilización del valle del Indo

Una apasionante visión general de la civilización Harappa, desde los primeros harappa, pasando por Mohenjo-daro, hasta la invasión aria y la conquista aqueménida

Índice

Introducción

La civilización del valle del Indo, cuyo pueblo se denomina a veces Harappa, se formó en el actual Pakistán y el noroeste de la India hacia el año 3300 a. e. c. Esto la convierte en una de las civilizaciones más antiguas del mundo. Sorprendentemente, la civilización del valle del Indo duró hasta aproximadamente el año 1300 a. e. c., lo que supone un total de dos mil años. Durante este tiempo, los harappa empezaron a construir su civilización desde pequeños pueblos hasta ciudades masivas y organizadas que podían albergar cómodamente a decenas de miles de personas[1]. Este largo reinado, así como el misterioso declive y fin de la civilización la convierten en un interesante tema de estudio para los historiadores actuales.

El valle del Indo albergó varias ciudades importantes, algunas de cuyas ruinas se estudian hoy en día. Entre ellas se encuentran Mohenjo-daro, Lothal y Harappa, entre otras. Cada uno de estos yacimientos tiene algo que los distingue. Tanto Mohenjo-daro como Harappa tienen una estructura cuadriculada muy técnica, similar a la de una ciudad moderna. Está claro que estas ciudades fueron meticulosamente planificadas. Lothal es famosa por sus muelles, utilizados para el comercio[2]. Pocas de estas ciudades siguen en pie hoy en día, ya que estuvieron abandonadas durante más tiempo del que se utilizaron. Aun

---

[1] Hawkes, Jacquetta. *The First Great Civilizations: Life in Mesopotamia, the Indus Valley, and Egypt.* The History of Human Society. New York City, NY: Random House, Inc, 1980.

[2] Hawkes, Jacquetta. *The First Great Civilizations: Life in Mesopotamia, the Indus Valley, and Egypt.*

así, los arqueólogos están encontrando nuevos artefactos en los sitios.

Nadie sabe quién se encargó de hacer las ciudades tan uniformes. ¿Fue un grupo de arquitectos? ¿Un consejo de ancianos? ¿El gobierno? También había estructuras bellamente construidas dispuestas de forma específica dentro de cada ciudad. La mayoría de los edificios más grandes y probablemente más importantes solían crearse a gran altura en el centro de la ciudad. Las casas solían ser del mismo tamaño y forma. Las granjas solían estar en los niveles más bajos de las ciudades o justo fuera de ellas[3]. Todo esto nos da una idea de cómo vivía el habitante medio de Harappa. La similitud de las ciudades y las casas sugiere que la civilización del valle del Indo tenía un alto nivel de igualdad entre sus habitantes.

Además del impresionante trazado urbano de los harappa, también contaban con un sistema de drenaje y alcantarillado adelantado a su tiempo. Muchas casas tenían un baño con un desagüe que salía de la casa y llegaba a un sistema de drenaje principal cerca de la calle. Estos desagües alejaban las aguas residuales de la ciudad. Los centros urbanos, a veces llamados ciudadelas, tenían grandes baños públicos que cualquiera podía utilizar[4]. Estas características de la ciudad demuestran la importancia de la higiene y la limpieza en el valle del Indo. Muchas otras civilizaciones no tendrían un sistema de fontanería tan complejo o eficaz hasta miles de años después de que la civilización Harappa llegara a su fin.

Incluso con todas estas ciudades y estructuras tan bien organizadas, nadie sabe qué tipo de gobierno tenía la civilización del valle del Indo, ¡o si es que tenía gobierno! De hecho, muchas de las normas, reglamentos y rituales específicos del valle del Indo son un completo misterio para los investigadores. Aunque los harappa tenían un lenguaje escrito, hoy en día nadie sabe leerlo[5]. Esta escritura se denomina escritura del Indo o harapano.

---

[3] Hawkes, Jacquetta. *The First Great Civilizations: Life in Mesopotamia, the Indus Valley, and Egypt.*

[4] Garg, Divya. "Case Study - City Planning and Organization of Indus Valley Civilization". Ischools.org, 2015, https://ischools.org/resources/Documents/Discipline%20of%20organizing/Case%20Studies/Indus Valley-Garg2015.pdf.

[5] Hawkes, Jacquetta. *The First Great Civilizations: Life in Mesopotamia, the Indus Valley, and Egypt.*

Por supuesto, hay muchas teorías sobre el tipo de gobierno que pudo tener el valle del Indo. Una teoría sugiere que el valle del Indo no tenía gobierno. Es poco probable, pero no deja de ser una teoría interesante. Otras teorías afirman que los harappa podían estar gobernados por sus clases ricas o comerciantes, por reyes-sacerdotes u otra oligarquía religiosa, o que tenían un gobierno de tipo ciudad-estado[6]. Independientemente del tipo de gobierno que tuvieran, si es que lo tenían, los harappa fueron capaces de hacer grandes planes urbanísticos y forjar maravillosas relaciones comerciales con las civilizaciones cercanas.

Otras civilizaciones contemporáneas, como Mesopotamia y la antigua China, no parecían escribir mucho sobre los harappa. Estas dos culturas comerciaban a menudo con los harappa y tenían lenguas escritas que los historiadores pueden leer hoy en día[7]. Sin embargo, las relaciones comerciales solo pueden proporcionar algunas pistas sobre cómo era el valle del Indo.

Los historiadores saben que el comercio era muy importante en el valle del Indo. Aparte del trabajo agrícola, el comercio era una de las opciones profesionales más populares que podía elegir una persona. Los comerciantes trabajaban junto a agricultores y mercaderes para vender sus productos en el valle del Indo y a las civilizaciones vecinas. Los harappa eran los que más comerciaban con Mesopotamia, el actual norte de la India y China. Comerciaban por tierra y por mar[8]. Las embarcaciones de los harappa eran muy impresionantes para la época. Sin sus conocimientos de las embarcaciones, sus relaciones comerciales habrían sido efímeras y pasajeras.

¿Con qué tipo de artículos comerciaban los harappa? Dentro del valle del Indo, lo más probable es que comerciaran con alimentos y otros artículos domésticos comunes. Fuera del valle del Indo, los viajeros comerciaban con abalorios, cerámica, telas, metales extraídos y joyas. Sin embargo, a pesar de todo el comercio que realizaban los

---

[6] "Indus Valley Civilization". Cultural India, n.d., https://www.culturalindia.net/indian-history/ancient-india/indus-valley.html.

[7] Hawkes, Jacquetta. *The First Great Civilizations: Life in Mesopotamia, the Indus Valley, and Egypt.*

[8] Hawkes, Jacquetta. *The First Great Civilizations: Life in Mesopotamia, the Indus Valley, and Egypt.*

harappa, no utilizaban moneda[9]. Toda su economía se basaba en el comercio. Incluso los impuestos, suponiendo que los tuvieran, se pagaban en grano u otros artículos en lugar de en monedas de oro o plata.

Es posible que los harappa tomaran prestadas algunas ideas de las otras culturas con las que se mezclaban durante el comercio. Tomaron muchas ideas de los mesopotámicos, pero esto no es sorprendente, ya que los antepasados del pueblo del valle del Indo pueden haber venido de Mesopotamia o de una cultura similar. Debido a esta posible herencia compartida y al comercio, las dos culturas tenían mucho en común. Aunque nadie sabe con exactitud qué religión practicaban los harappa, las estatuas encontradas en varias ruinas del valle del Indo sugieren que quizá adoraban a una diosa de la fertilidad y a un dios de las criaturas, similar al que adoraban los mesopotámicos. Parte de su arquitectura también es similar y podría haberse hecho de forma parecida por motivos religiosos[10]. ¿Podría incluso haber sido precursora del hinduismo actual? Algunas de las similitudes entre estas dos religiones son, cuando menos, sorprendentes.

Estos son solo algunos ejemplos de todos los maravillosos hechos, mitos y misterios que se tratarán a lo largo de este libro. Aprenda todo sobre la historia del valle del Indo, desde sus humildes comienzos en el 3000 a. e. c. hasta su misterioso final en el 1000 a. e. c. Son dos mil años, ¡así que empecemos!

---

[9] Hawkes, Jacquetta. *The First Great Civilizations: Life in Mesopotamia, the Indus Valley, and Egypt.*

[10] "Indus Valley Civilization".

Primera parte:
Auge y declive de la cultura del valle del Indo

Capítulo 1: Las tres principales ciudades harappa

La civilización del valle del Indo se extendió por la actual India y Pakistán, y llegó a tener más de mil ciudades y pueblos. Por supuesto, algunas de estas ciudades tienen más importancia cultural que otras. Algunas de las ciudades más grandes eran Mohenjo-daro y Harappa, ambas situadas en el actual Pakistán. En distintas épocas, cada una de estas ciudades sería la capital de la civilización del valle del Indo. Dholavira era otro gran centro urbano, pero estaba situado en la actual India. Dholavira es también la segunda ciudad más grande del valle del Indo que conocen los historiadores[11]. Se sabe más de Mohenjo-daro y Harappa que de Dholavira. Sin embargo, los historiadores y arqueólogos siguen estudiando la zona del valle del Indo y aprendiendo cada vez más sobre ella.

Mohenjo-daro

Mohenjo-daro, también llamada Mohenjodaro y Moenjodaro, es una de las ciudades más famosas del valle del Indo. Esta ciudad se construyó a lo largo del río Indo, en el actual sur de Pakistán. Debido a diversos cambios medioambientales en los últimos milenios, el emplazamiento se encuentra ahora a unos tres kilómetros del río[12]. En total, la ciudad tenía

---

[11] Hays, Jeff. "Great Cities of the Indus Valley Civilization". Facts and Details, septiembre de 2020, https://factsanddetails.com/india/History/sub7_1a/entry-7116.html

[12] Britannica, T. Editors of Encyclopedia. "Mohenjo-daro". Encyclopedia Britannica, 16 de mayo de 2021. https://www.britannica.com/place/Mohenjo-daro.

una superficie de unos 750 acres. En su apogeo, podía albergar cómodamente hasta cuarenta mil personas[13]. Esto la convertiría en una de las ciudades más grandes y pobladas del mundo en aquella época.

El nombre de Mohenjo-daro se traduce aproximadamente como «montículo de la muerte». Los arqueólogos que encontraron la ciudad la bautizaron así[14]. Este nombre podría proceder del hecho de que los fundadores de la ciudad construyeron una base artificial para una zona de la ciudad. Sin embargo, los historiadores no saben con certeza cuál era el nombre original de la ciudad. Algunos suponen que podría haber sido Kukkutarma[15]. Este montículo estaba hecho de ladrillos de barro y utilizaba barro como tipo de argamasa.

Más tarde se construyeron edificios sobre el montículo. Muchos de estos edificios eran grandes estructuras, que podrían haber incluido tanto viviendas como edificios gubernamentales. Estos edificios también estaban hechos de ladrillos de barro[16]. Impresionantemente, los ladrillos tenían una forma y un peso uniformes. Esto demuestra que el valle del Indo poseía una compleja ingeniería civil[17]. Es posible que también se utilizara madera o heno en la construcción, pero se habrían descompuesto, por lo que los arqueólogos no podrían observarlos hoy en día.

Otra característica asombrosa de Mohenjo-daro era su sistema de cuadrícula rectangular y sus calzadas pavimentadas. Estas calzadas también estaban hechas de ladrillos de barro. La ciudad contaba con un impresionante sistema de alcantarillado, completo con sistemas de drenaje[18]. El sistema de alcantarillado se tratará con más detalle más adelante en el libro.

Por extraño que parezca, los arquitectos no han podido encontrar en Mohenjo-daro ningún palacio elaborado, edificio religioso o edificio gubernamental. Uno de los edificios más grandes de la ciudad era un baño público. En la ciudad había edificios administrativos más pequeños

---

[13] Tawsam. "Mohenjo-Daro". Atlas Obscura, 4 de marzo de 2016, https://www.atlasobscura.com/places/mohenjodaro.

[14] Britannica, T. Editors of Encyclopedia. "Mohenjo-daro".

[15] Tawsam. "Mohenjo-Daro".

[16] Britannica, T. Editors of Encyclopedia. "Mohenjo-daro".

[17] Tawsam. "Mohenjo-Daro".

[18] Britannica, T. Editors of Encyclopedia. "Mohenjo-daro".

e incluso edificios de apartamentos. Aparte de estos, la mayoría de los edificios habrían sido casas normales y mercados[19]. En cualquier caso, Mohenjo-daro era una de las ciudades más avanzadas del mundo antiguo.

Los historiadores no están seguros de cuándo los habitantes de la ciudad empezaron a alejarse de Mohenjo-daro. Hay indicios de que las inundaciones del río Indo dañaron la ciudad[20]. Sin embargo, otros historiadores creen que el río Saraswati se secó, provocando una sequía[21]. También es posible que ambos acontecimientos ocurrieran en momentos diferentes. En cualquier caso, la ciudad se derrumbó cerca del final de la civilización del valle del Indo, hacia 1900 a. e. c.

Durante siglos, la ciudad se perdió en el tiempo. La ciudad no se encontró hasta 1922, cuando fue descubierta por exploradores europeos[22]. Sin embargo, es difícil estudiar la arquitectura antigua debido a la erosión. En 1966, los arqueólogos dejaron de excavar activamente en el yacimiento. Desde entonces, solo se han permitido excavaciones superficiales, prospecciones y trabajos de conservación[23]. A pesar de las décadas de trabajo arqueológico, los arqueólogos solo han descubierto un tercio de la ciudad[24]. En 1980, la UNESCO declaró las ruinas de la ciudad Patrimonio de la Humanidad[25]. Es imposible saber qué descubrirán las nuevas expediciones arqueológicas, pero seguro que los historiadores seguirán aprendiendo más sobre la ciudad a medida que pase el tiempo.

---

[19] Tawsam. "Mohenjo-Daro".

[20] Britannica, T. Editors of Encyclopedia. "Mohenjo-daro".

[21] Tawsam. "Mohenjo-Daro".

[22] Britannica, T. Editors of Encyclopedia. "Mohenjo-daro".

[23] Tawsam. "Mohenjo-Daro".

[24] Hays, Jeff. "Great Cities of the Indus Valley Civilization".

[25] Britannica, T. Editors of Encyclopedia. "Mohenjo-daro".

Ruinas excavadas de Mohenjo-daro

Harappa

Harappa fue uno de los primeros yacimientos de la civilización del valle del Indo descubiertos por los arqueólogos en 1921. Por este motivo, la civilización del valle del Indo recibe a veces el nombre de civilización Harappa. Harappa es probablemente el centro urbano más antiguo del valle del Indo; los historiadores creen que se asentó por primera vez hacia el 3300 a. e. c. Harappa también se construyó a lo largo de un río, el río Ravi. Esto situó a Harappa justo en una llanura aluvial, lo que hizo que la tierra fuera fértil y excelente para la agricultura. También estaba en una ubicación ideal para promover el comercio con otras civilizaciones contemporáneas[26]. Esto permitió a los habitantes de Harappa interactuar con otras culturas. También por eso se han encontrado en Harappa artefactos de otras civilizaciones.

Harappa fue una de las capitales de la civilización del valle del Indo. No está claro si fue la capital al mismo tiempo que Mohenjo-daro. La ciudad era aproximadamente la mitad de grande que Mohenjo-daro cerca de su inicio, cubriendo solo unos cuatrocientos acres. Aun así, unas veinte mil personas podían vivir allí cómodamente. Harappa alcanzó su apogeo hacia el 2200 a. e. c., con cerca de ochenta mil habitantes[27]. Sin embargo, estas cifras deben tomarse con cautela, ya que varían según las fuentes.

Gracias a la excavación de las ruinas de Harappa, los arqueólogos pudieron dividir el desarrollo de la ciudad en cinco fases: fase Ravi

---

[26] Hays, Jeff. "Great Cities of the Indus Valley Civilization".

[27] Hays, Jeff. "Great Cities of the Indus Valley Civilization".

(3300-2800 a. e. c.), Kot Diji (2800-2600 a. e. c.), Harappa (2600-1900 a. e. c.), Harappa tardío de transición (1900-1800 a. e. c.) y Harappa tardío (1800-1300 a. e. c.). Los arqueólogos determinaron las fechas de inicio y fin de estas etapas en función de los tipos de artesanía y tecnologías hallados. Al examinar diversos artefactos, los arqueólogos suponen que Harappa pasó de ser una aldea a un centro urbano en algún momento de la fase Harappa. Los arqueólogos determinaron esto basándose en escritos y otros artefactos de la época[28]. Sin embargo, aunque los historiadores han encontrado escritos de la civilización del valle del Indo, aún no pueden leerlos.

Durante la fase de Ravi, la gente empezó a trasladarse a Harappa. Probablemente procedían de zonas relativamente cercanas a Harappa, en lugar de recorrer grandes distancias. Los primeros habitantes de Harappa ejercían diversas profesiones y tenían muchas habilidades diferentes. Los arqueólogos han descubierto todo tipo de obras de arte en la zona, desde abalorios hasta esculturas de gran tamaño[29]. Estos objetos estaban hechos de todo tipo de materiales, pero sobre todo de piedras.

Es probable que en esta época existiera algún tipo de comercio en la zona. Podemos suponerlo basándonos en una simple pregunta: si los harappa hacían obras de arte, ¿para quién las hacían? Lo más probable es que estos comerciantes no viajaran muy lejos; seguramente procedían de Mesopotamia, que también se estaba desarrollando durante el mismo periodo de tiempo. Los arqueólogos lo saben porque se han encontrado abalorios fabricados en el valle del Indo en antiguos yacimientos mesopotámicos[30]. No es probable que estas cuentas llegaran allí sin el comercio.

Los harappa empezaron a perfeccionar la fabricación de ladrillos durante la fase Kot Diji. Aunque ya existían algunos edificios antes de esta época, fue durante esta fase cuando los ladrillos de barro se estandarizaron, es decir, tenían la misma forma y tamaño. Estos ladrillos revestían la mayoría de los edificios y calles de Harappa. Fue también durante este periodo cuando los harappa empezaron a construir muros de ladrillo alrededor de la ciudad.

---

[28] Hays, Jeff. "Great Cities of the Indus Valley Civilization".

[29] Hirst, K. Kris. "Harappa: Capital City of the Ancient Indus Civilization".

[30] Hirst, K. Kris. "Harappa: Capital City of the Ancient Indus Civilization".

Algunos de los primeros cementerios organizados son del periodo de Kot Diji[31]. Los edificios e incluso las parcelas de los cementerios tenían formas, tamaños y estilos diferentes. Los arqueólogos pueden utilizar esta información para determinar las diferentes clases sociales de la época. Esto podría sugerir que el pueblo del valle del Indo tenía algún tipo de sistema económico en el periodo Kot Diji.

La civilización del valle del Indo continuó expandiéndose durante la fase Harappa. El pueblo siguió extendiéndose y controlando más tierras. Durante esta época, los artesanos mejoraron su artesanía. Empezaron a fabricar cerámica vidriada, herramientas de hueso y objetos de terracota. Incluso con todos los productos regulados en la zona, los pueblos del valle del Indo no parecían tener un gobierno centralizado. En su lugar, es más probable que pequeñas porciones de tierra estuvieran gobernadas por miembros ricos de la sociedad, como mercaderes y terratenientes[32]. De este modo, la primera civilización del valle del Indo se habría parecido mucho a las ciudades-estado europeas que aparecieron milenios después.

Durante los periodos Harappa tardío de transición y Harappa tardío, la gente empezó a alejarse de las ciudades y a trasladarse a zonas más rurales. Esto empezó a fragmentar las ciudades: los grandes centros urbanos se hicieron más pequeños y otras ciudades pequeñas (como los suburbios) surgieron a su alrededor. Esto debilitó las ciudades y las hizo más propensas a las invasiones y a los disturbios civiles. Todo esto, junto con el cambio climático, las enfermedades y la pérdida de socios comerciales, condujo al declive de la civilización Harappa[33]. En definitiva, la civilización del valle del Indo llegaría a su fin en algún momento alrededor del año 1300 a. e. c.

Como ya se ha mencionado, Harappa fue descubierta por arqueólogos europeos en 1921. Sin embargo, la gente común descubrió el yacimiento décadas antes, pero probablemente no comprendió su importancia histórica. Algunas compañías ferroviarias se llevaron adobes de estos yacimientos para utilizarlos en otros proyectos. Esto afectó gravemente a las ruinas y dificultó su estudio por parte de los arqueólogos. A diferencia de Mohenjo-daro, Harappa ha estado abierta

---

[31] Hirst, K. Kris. "Harappa: Capital City of the Ancient Indus Civilization".

[32] Hirst, K. Kris. "Harappa: Capital City of the Ancient Indus Civilization".

[33] Hirst, K. Kris. "Harappa: Capital City of the Ancient Indus Civilization".

a las excavaciones desde la década de 1920[34]. Esto ha tenido efectos positivos y negativos. Los historiadores han podido aprender mucho sobre la vida en la antigua Harappa. Sin embargo, los arqueólogos han expuesto inadvertidamente ladrillos antiguos al aire y a la intemperie mientras excavaban, lo que ha provocado que las estructuras del yacimiento se erosionen a niveles más rápidos que si los arqueólogos no hubieran excavado el yacimiento.

A diferencia de otros lugares que se mencionarán en este libro, Harappa ha estado habitada casi continuamente. Aunque es posible que la civilización del valle del Indo decayera en torno al año 1300 a. e. c., más tarde la gente volvió a instalarse en la zona. Hoy en día, la gente ocupa algunas de las mismas calles que sus antepasados podrían haber ocupado hace miles de años[35]. Esta es otra de las razones por las que se han permitido las excavaciones y otros estudios. Al fin y al cabo, los arqueólogos difícilmente pueden hacer más daño al yacimiento que las personas que han vivido cerca de él durante generaciones.

Una imagen de las ruinas de Harappa

Dholavira

Dholavira se encuentra en el actual noroeste de la India, a unos veinticinco kilómetros al sur de Pakistán. En la época de su ocupación

---

[34] Hays, Jeff. "Great Cities of the Indus Valley Civilization".

[35] Hirst, K. Kris. "Harappa: Capital City of the Ancient Indus Civilization".

(entre 2900 y 1500 a. e. c.), esta zona era un humedal pantanoso. Esto se debía a la cercanía de Dholavira al mar Arábigo. Esta tierra habría sido muy fértil y un gran lugar centralizado para el comercio. Debido a estas características, Dholavira creció hasta convertirse en la segunda ciudad más grande del valle del Indo en la India actual[36]. Como Dholavira estaba separada de Mohenjo-daro y Harappa por una gran distancia, la ciudad creció de forma independiente. Sin embargo, al pertenecer a la misma civilización, los habitantes de las tres ciudades habrían compartido muchas de las mismas prácticas culturales.

Había tres secciones principales en Dholavira. La primera zona era la ciudad estratificada. Cuanto más abajo vivía una persona en la ciudad, menos rica era probablemente. Las propias ciudades también podían estar divididas en secciones más pequeñas. La siguiente era la ciudad cuadrangular central. La mayor parte estaba formada por viviendas y algunos pequeños comercios. Por último, estaba la ciudadela. En ella vivían los miembros más ricos de la sociedad. También se celebraban ceremonias religiosas y gubernamentales[37]. Los historiadores y arqueólogos saben qué clase de gente vivía en cada lugar por los objetos encontrados en las capas. Las obras de arte y los objetos más caros se habrían encontrado cerca de las casas de los ricos.

Curiosamente, Dholavira no se construyó con ladrillos de barro estandarizados, como Harappa y Mohenjo-daro. La mayoría de los edificios eran de piedra. Aunque menos regulados y organizados, los edificios de piedra tenían más probabilidades de resistir el paso del tiempo. Esto se debe a que la piedra se deteriora más lentamente que los ladrillos de barro[38]. Esta falta de erosión facilitó el estudio de la ciudad por parte de los arqueólogos.

Una de las características más impresionantes de Dholavira es su avanzado sistema de alcantarillado y suministro de agua. Este sistema podía desviar el agua de otras fuentes a zonas de almacenamiento. El agua podía proceder de muchas fuentes, como los arroyos Mansar y Manhar. El agua podía guardarse hasta que los habitantes la necesitaran. Esto ayudó a la ciudad a seguir prosperando, incluso durante las

---

[36] Hays, Jeff. "Great Cities of the Indus Valley Civilization".

[37] Nag, Oishimaya Sen, "Dholavira: Ancient Wonder of Gujarat". World Atlas, 25 de enero de 2021, https://www.worldatlas.com/articles/dholavira-ancient-wonder-of-gujarat.html

[38] Nag, Oishimaya Sen, "Dholavira: Ancient Wonder of Gujarat".

sequías[39]. La ciudad también recogía el agua de lluvia y de los pozos.

Sin embargo, cuando el clima empezó a cambiar drásticamente, se hizo más difícil mantener la vida en Dholavira. La tierra se volvió demasiado seca incluso para los sistemas de agua de la ciudad. Los habitantes de la ciudad empezaron a emigrar, principalmente hacia el este[40]. Es probable que acabaran asentándose en otras partes de la India actual.

En 2021, Dholavira se convirtió en Patrimonio de la Humanidad de la UNESCO. Al igual que las otras ciudades históricas, Dholavira fue ampliamente estudiada por los arqueólogos. Durante sus excavaciones, los arqueólogos encontraron calles organizadas, edificios comerciales, una acrópolis e incluso fragmentos de tablillas de piedra con escritura antigua[41]. Estos hallazgos demuestran que Dholavira era una ciudad muy organizada con una población inteligente y dominante.

Las grandes excavaciones de la ciudad se han detenido en los últimos años. Ahora, el gobierno indio y los arqueólogos trabajan para proteger las ruinas de interferencias externas[42]. Mientras tanto, es posible que los arqueólogos sigan descubriendo más cosas sobre la ciudad; sin embargo, es probable que los descubrimientos sean más lentos que si se siguiera excavando activamente.

Las ruinas de Dholavira

Rahul Zota, CC BY-SA 4.0, <https://creativecommons.org/licenses/by-sa/4.0>, vía Wikimedia Commons, https://commons.wikimedia.org/wiki/File:Dholavira-1.jpg

---

[39] Hays, Jeff. "Great Cities of the Indus Valley Civilization".

[40] Nag, Oishimaya Sen, "Dholavira: Ancient Wonder of Gujarat".

[41] Hays, Jeff. "Great Cities of the Indus Valley Civilization".

[42] Nag, Oishimaya Sen, "Dholavira: Ancient Wonder of Gujarat".

La importancia del agua

Los habitantes de la civilización del valle del Indo vivían en torno al río Indo y sus afluentes. Algunos de los afluentes más importantes son el Rann de Kutch, el río Ghaggar-Hakra y el río Chenab. Esto permitió a los pueblos acceder al agua dulce y contribuyó a crear fértiles tierras de cultivo. Viajar a través de los sistemas fluviales también facilitó a otras civilizaciones el comercio con los pueblos del valle del Indo; la mayoría de estos comerciantes procedían de Mesopotamia[43]. Sin el acceso a estos ríos, los pueblos del valle del Indo probablemente no habrían prosperado tanto como lo hicieron.

Si nos fijamos en el comercio que los ríos trajeron al valle del Indo, queda claro lo importantes que eran para mantener las relaciones entre los pueblos del valle del Indo y sus vecinos. Como ya se ha dicho, los pueblos del valle del Indo comerciaban sobre todo con otras civilizaciones de la India actual y de Oriente Próximo. Sin embargo, los arqueólogos también han encontrado pruebas de que personas de lugares tan lejanos como China podrían haber visitado la zona, ya que en las ruinas del valle del Indo han aparecido diversos objetos procedentes de China[44]. La otra explicación de la aparición de estos objetos es que los chinos comerciaban con otras civilizaciones y estas, a su vez, con los habitantes del valle del Indo.

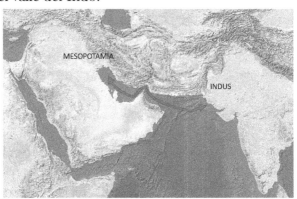

Mesopotamia-Indo

GFDL, CC BY-SA 3.0 <https://creativecommons.org/licenses/by-sa/3.0>, vía Wikimedia Commons, https://commons.wikimedia.org/wiki/File:Mesopotamia-Indus.jpg

---

[43] Elshaikh, Eman M. "Indus River Valley Civilizations". Khan Academy, 2017, https://www.khanacademy.org/humanities/world-history/world-history-beginnings/ancient-india/a/the-indus-river-valley-civilizations.

[44] Elshaikh, Eman M. "Indus River Valley Civilizations".

Aparte de los sistemas fluviales, los mares que rodean la India actual eran importantes para el comercio y los viajes. Las masas de agua más importantes eran el mar Arábigo, el golfo Pérsico y el mar Rojo. Una vez más, sabemos que los pueblos del valle del Indo podían viajar por el mar gracias a los artefactos encontrados en tierras lejanas. Es probable que viajaran en balsas con velas y mástiles primitivos[45]. Sin embargo, como estas embarcaciones eran de madera, hoy estarían descompuestas y no dejarían ninguna prueba.

Intrincados patrones de cuadrícula

Parece que todos los aspectos de una ciudad del valle del Indo estaban minuciosamente planificados. El pueblo del valle del Indo fue probablemente la primera civilización, o una de las primeras, en tener un trazado urbano organizado. Como se ha mencionado en párrafos anteriores, las ciudades solían estar divididas en varios niveles, con diferentes clases que vivían en diferentes elevaciones. Sin embargo, esta no era la única forma de organizar las ciudades: también utilizaban un complicado sistema de cuadrícula.

Cada sección de la ciudad se dividía en manzanas, que eran casi idénticas a las manzanas de las ciudades modernas. Dentro de cada una de estas manzanas, las calles discurrían en su mayoría en línea recta, paralelas y perpendiculares entre sí; también se conectaban en las esquinas con ángulos rectos. Las casas se construían junto a las calles para seguir el sistema cuadriculado[46]. Lo único que queda por preguntar ahora es: «¿Por qué los habitantes del valle del Indo utilizaban un sistema de cuadrícula?». ¿Fue solo para organizar mejor la ciudad o por alguna otra razón?

La respuesta es un poco de ambas. La tierra era uno de los recursos más valiosos del valle del Indo. Al dividir el área en partes, era probable que más personas tuvieran fácil acceso a todo, desde los negocios de la ciudad hasta la posibilidad de encontrar una fuente de agua[47]. La proximidad de las casas y los negocios también facilitaba la convivencia y el trabajo en común, y mejoraba la economía local, ya que la gente podía comerciar fácilmente entre sí.

---

[45] Elshaikh, Eman M. "Indus River Valley Civilizations".

[46] Cracker, KAS. "Indus Valley Civilization - Town Planning". Midukkan Tony, 28 de marzo de 2021, https://www.midukkantony.com/post/indus-valley-civilization-town-planning.

[47] Garg, Divya. "Case Study - City Planning and Organization of Indus Valley Civilization".

La mayoría de las casas de cada nivel de la ciudad habrían tenido el mismo tamaño y estilo general. Esto se hacía para promover la igualdad entre la gente. Las casas de los niveles superiores solían ser más grandes que las del nivel inferior, ya que los habitantes de los niveles inferiores solían ser más pobres que los de los niveles superiores. Independientemente de dónde viviera una persona, lo más probable es que su casa estuviera construida sobre una plataforma nivelada. Esto ayudaba a que la elevación de cada nivel fuera más o menos plana, con algunas pendientes entre los niveles[48]. La nivelación se hizo probablemente colocando ladrillos de barro o piedra y excavando tierra de las elevaciones más altas y colocándola en las elevaciones más bajas. Hay que recordar que estos ladrillos tendrían un tamaño y un peso estándar, mientras que el uso de palas o piedras estaría menos estandarizado.

Mohenjo-daro (Montículo de la muerte)

Aunque los historiadores no saben quién organizó las ciudades, creen que hubo algún tipo de gobierno centralizado u otro grupo que estableció las normas sobre cómo debía construirse todo. Este grupo se habría organizado en una fase temprana de la historia de la civilización, ya que en el valle del Indo empezaron a aparecer ciudades cuadriculadas a partir del año 3000 a. e. c.[49]. Estos primeros sistemas cuadriculados allanaron literalmente el camino para que Harappa y Mohenjo-daro se

---

[48] Garg, Divya. "Case Study - City Planning and Organization of Indus Valley Civilization".

[49] Garg, Divya. "Case Study - City Planning and Organization of Indus Valley Civilization".

construyeran de forma tan organizada unos cientos de años más tarde. Sin esta organización, es poco probable que las ciudades hubieran prosperado tanto como lo hicieron.

Sistemas de drenaje y alcantarillado

Además de contar con un sistema cuadriculado organizado, la civilización del valle del Indo también disponía de un impresionante sistema de alcantarillado y drenaje. Las «tuberías» que recorrían la ciudad habrían seguido más o menos las mismas líneas que el sistema cuadriculado utilizado para planificar cada ciudad. Con estos dos sistemas trabajando mano a mano, los antiguos ingenieros civiles fueron capaces de planificar las ciudades de tal manera que las zonas residenciales no estuvieran plagadas de malolientes alcantarillas[50]. Cada casa también habría tenido su propio sistema de drenaje para sacar el agua o la orina del hogar. Una vez que el líquido salía de la vivienda, se conectaba al sistema de alcantarillado público de la ciudad. Este sistema de drenaje habría estado cubierto por ladrillos de barro y se habría accedido a él a través de antiguas tapas de alcantarilla[51]. El antiguo sistema de drenaje del valle del Indo era más avanzado que muchos sistemas de alcantarillado que se encontraron en Europa más de mil años después.

Un desagüe en Lothal

Raveesh Vyas. CC BY-SA 2.0, <https://creativecommons.org/licenses/by-sa/2.0>, vía Wikimedia Commons, https://commons.wikimedia.org/wiki/File:A_drain_at_Lothal.jpg

---

[50] Garg, Divya. "Case Study - City Planning and Organization of Indus Valley Civilization".

[51] Cracker, KAS. "Indus Valley Civilization - Town Planning".

Junto a los sistemas de alcantarillado funcionaba una serie de canales artificiales. Estos canales se utilizaban por diversas razones, desde el riego hasta el transporte de materiales por agua[52]. Sin estos sistemas de canales, la zona se habría visto más afectada por las sequías. Aunque los cultivos podrían haber sobrevivido sin los canales, los agricultores del valle del Indo no habrían tenido tanto éxito sin ellos.

[53] Garg, Divya. "Case Study - City Planning and Organization of Indus Valley Civilization".

Capítulo 2: Primer periodo del Indo (3300-2500 a. e. c.)

Los primeros años de la civilización del valle del Indo, denominados periodo inicial del Indo y periodo de Ravi, sentaron las bases del desarrollo de la cultura Harappa a lo largo de sus dos mil años de historia. Lo que dio forma a esta civilización durante el período temprano del Indo tuvo casi todo que ver con la situación geográfica de la civilización. Como ya se ha dicho, tanto los mares como los ríos del valle del Indo y sus alrededores fueron fundamentales para el éxito de la civilización e influyeron en todos los aspectos de la vida cotidiana.

Asentamientos

Los primeros pobladores del valle del Indo probablemente viajaron hacia el oeste, procedentes de la región montañosa entre o alrededor de los actuales Pakistán, Afganistán e Irán. Puede que incluso llegaran hasta la antigua Mesopotamia, situada principalmente en el actual Oriente Próximo. Es probable que los primeros pobladores fueran agricultores y otra gente común[53]. Más tarde siguieron sus pasos grupos más adinerados. Una vez que más grupos entraron en las ciudades, comenzó a formarse una jerarquía social.

Las primeras aldeas empezaron a aparecer en el valle del río Indo hacia el 3300 a. e. c. Se formaron alrededor del río Ravi y se

---

[53] Possehl, G. L. "The Early Harappan Phase". *Bulletin of the Deacon College Research Institute,* 60/61, 2003.

extendieron desde allí. Durante este periodo se construyó Harappa, y la civilización del valle del Indo empezó a estandarizar los métodos de construcción[54].

Vida cotidiana

El habitante medio de los primeros tiempos del Indo era un agricultor. Con el paso del tiempo, surgieron otros tipos de profesiones. Mercaderes y artesanos fueron algunos de los más importantes. La cerámica es uno de los únicos productos prácticos que los arqueólogos han podido descubrir, ya que otros productos prácticos como la ropa (probablemente de algodón) y otros tejidos se han deteriorado. Algunos de los objetos artísticos recuperados son cuentas de terracota, joyas de conchas y piedras, cerámica decorada y tablillas[55]. Las artesanías y los materiales más comunes eran probablemente accesibles para el pueblo llano. En cambio, cuanto más raros fueran los objetos, más probable era que pertenecieran a los ricos. La otra explicación de la rareza de los objetos es que no eran lo bastante duraderos como para resistir el paso del tiempo.

Recipiente del valle del Indo de la fase Harappa, Pakistán, c. 2500-1900 a. e. c.
Daderot, CC0, vía Wikimedia Commons, 20 de noviembre de 2011,
https://commons.wikimedia.org/wiki/File:Jar,_Indus_Valley_Tradition,_Harappanos_Phase,_Qu
etta,_Southern_Baluchistan,_Pakistan,_c._2500-1900_BC_-_Royal_Ontario_Museum_-
_DSC09717.JPG

---

[54] Kenoyer, Jonathan M. "Uncovering the Keys to the Lost Indus Cities". Scientific American, 1 de enero de 2005, https://www.scientificamerican.com/article/uncovering-the-keys-to-the-lost-ind/#:~:text=The%20earliest%20village%20settlement%20at,wealth%20in%20mud%2Dbrick%20tombs.

[55] Kenoyer, Jonathan M. "Uncovering the Keys to the Lost Indus Cities".

Política

Los historiadores desconocen cómo era el sistema político del valle del Indo. Sin embargo, dado que todo estaba estandarizado, desde las cuadrículas de las ciudades hasta las alcantarillas, es probable que hubiera algún tipo de gobierno. Las teorías van desde que los harappa tenían muchos gobernantes en lugar de uno central hasta que los terratenientes gobernaban sobre el pueblo llano. La teoría del gobierno descentralizado se basa en la falta de pruebas de la existencia de un rey o gobernante único. Es plausible que los terratenientes gobernaran sobre el pueblo llano, ya que las casas eran de distintos tamaños y algunos artefactos son más raros que otros. Esto muestra una diferencia de riqueza, que podría haber estado influida por la política[56]. Por supuesto, los historiadores no sabrán con certeza cómo era el sistema político del valle del Indo hasta que aprendan a leer la escritura del Indo.

Aunque se han encontrado algunas armas en los yacimientos del valle del Indo, los historiadores debaten si el pueblo Harappa luchó en alguna guerra. Esto es casi inaudito para una civilización antigua. Los historiadores no saben si los harappa no entraron en guerra porque eran una civilización pacífica a propósito o porque no tenían enemigos naturales debido a su posición, ya que estaban encerrados por cadenas montañosas[57].

Lo más probable es que fueran pacíficos o, al menos, que no entraran en grandes conflictos. Después de todo, podían comerciar a través de las vías fluviales, así que, si querían atacar a otra civilización, las montañas no habrían sido suficientes para detenerlos. Esto también se aplica a cualquier civilización que quisiera luchar dentro del valle del Indo.

Tierra y agricultura

Dado que los primeros pobladores del valle del Indo eran agricultores, no es de extrañar que la agricultura (tanto de subsistencia como comercial) fuera fundamental para la civilización. Algunos de los alimentos básicos eran la cebada, el trigo, las judías y el sésamo[58]. Durante las distintas estaciones, cultivaban alimentos diferentes. Dado

---

[56] Elshaikh, Eman. "Indus River Valley Civilizations". Khan Academy, 2017, https://www.khanacademy.org/humanities/world-history/world-history-beginnings/ancient-india/a/the-indus-river-valley-civilizations

[57] Elshaikh, Eman. "Indus River Valley Civilizations".

[58] Kenoyer, Jonathan M. "Uncovering the Keys to the Lost Indus Cities".

que Pakistán y la India actuales tienen climas templados, los habitantes del valle del Indo no se limitaban a una sola estación de cultivo. De este modo, dispondrían de alimentos durante todo el año.

Como ya se ha mencionado, los pueblos del Indo eran genios en lo que se refiere a sistemas de agua y riego. Su sistema de irrigación habría sido vital para asentar una comunidad, alimentar a la gente y reforzar la economía. Aunque el suelo de la zona era fértil, la tierra era susceptible a inundaciones y sequías. Con un sistema de irrigación, los harappa habrían podido hacer frente mejor a estos obstáculos naturales[59].

Si los harappa no hubieran podido cultivar la tierra cuando las condiciones no eran ideales, no habrían podido permanecer en el valle del Indo; habrían tenido que seguir siendo nómadas. Esto habría cambiado para siempre la historia del valle del Indo y de su gente. Por suerte, la ingeniería del pueblo los ayudó a permanecer en el valle y prosperar.

Como la mayoría de los habitantes del valle del Indo eran agricultores, no es de extrañar que la economía harappa girara en torno a la agricultura. Esto incluía plantas y animales. Gracias al examen de diversos restos de animales y obras de arte, los historiadores saben que el pueblo del Indo domesticó vacas, cabras y ovejas. Estos animales se utilizaban para producir carne, leche, cuero y lana. También cazaban y pescaban para obtener más carne[60]. Todas estas cosas combinadas deberían haber proporcionado al pueblo del valle del Indo todo lo que necesitaba para sobrevivir.

Apenas hay pruebas de que los habitantes del valle del Indo tuvieran sus propias monedas o un concepto de dinero. En su lugar, habrían intercambiado bienes o servicios. Muchos de estos bienes eran alimentos o estaban relacionados con los animales. El comercio de lana para fabricar ropa es un ejemplo de ello. Aparte de la agricultura, es posible que comerciaran con cerámica, joyas y metales nobles[61]. El comercio pudo realizarse dentro de las ciudades del valle del Indo y con otras civilizaciones cercanas a las actuales Pakistán e India.

---

[59] Deepak, Prabeer. "Agriculture and Economy of Indus Valley Civilization". Guru, 2020, https://www.ownguru.com/blog/indus-valley-civilization-agriculture/#:~:text=Agriculture%20in%20the%20Indus%20valley,rice%20were%20grown%20in%20summer.

[60] Deepak, Prabeer. "Agriculture and Economy of Indus Valley Civilization".

[61] Deepak, Prabeer. "Agriculture and Economy of Indus Valley Civilization".

Cultura

Algunos de los objetos de arcilla y terracota más antiguos, así como gres y tablillas, se han datado entre el 3300 y el 3200 a. e. c. Lo increíble no es que el pueblo fuera capaz de fabricar estos objetos, sino que estuvieran inscritos con imágenes parecidas a letras. Los harappa utilizaban un sistema de escritura que era una mezcla entre las letras modernas y los jeroglíficos antiguos, similar a la escritura cuneiforme utilizada por los sumerios en la misma época. Los historiadores creen que el sistema de escritura del Indo se inventó de forma independiente y no se basó en el cuneiforme. Sin embargo, los historiadores no saben cómo traducir la escritura del Indo, por lo que no puede leerse en la actualidad[62]. En cambio, la escritura cuneiforme sí puede traducirse.

Sellos del valle del Indo procedentes de Mohenjo-daro
ALFGRN. CC BY-SA 2.0, https://creativecommons.org/licenses/by-sa/2.0/, Flickr, 4 de noviembre de 2018, https://flickr.com/photos/156915032@N07/30772999117

Los historiadores aún no saben si el pueblo Harappa era religioso o hasta qué punto lo era. A diferencia de muchas otras civilizaciones antiguas, no hay pruebas de que los harappa construyeran templos o monumentos para respetar a sus dioses. La mayoría de sus obras de arte muestran animales, por lo que no hay ninguna representación de algo divino. Sin embargo, los historiadores han encontrado una obra de arte que muestra un monstruo sumerio, lo que puede sugerir que adoraban a

---

[62] Elshaikh, Eman. "Indus River Valley Civilizations".

24

algunos de los mismos dioses que los sumerios, probablemente la diosa madre de la fertilidad[63]. Por otra parte, el hallazgo de obras de arte con mitología sumeria podría deberse simplemente a que las dos civilizaciones comerciaban entre sí y no a que compartieran la misma religión. Dado que los historiadores no pueden leer la escritura de los harappa, no saben si escribieron sobre ritos religiosos y dioses.

Prácticas funerarias de la primera época del Indo

La muerte forma parte de la vida como cualquier otra cosa en este mundo, y los cementerios del valle del Indo ayudan a comprender cómo era la vida cotidiana y en qué creían sus habitantes. Las tumbas eran pequeñas fosas de tierra que se hundían unos metros bajo tierra. Una vez colocado el cuerpo en su interior, se cubría con piedras o adobes. Cuanto más antiguas eran las tumbas, más espacio solían tener a su alrededor. Las parcelas del cementerio tenían varias tumbas en cada una[64]. Estas parcelas podían estar ocupadas por familiares o, simplemente, por personas que morían más o menos al mismo tiempo.

Los cadáveres no se momificaban ni se enterraban con muchos objetos de valor, pero llevaban ropa y a veces joyas. Los cuerpos solían estar envueltos en una tela. A veces, los cadáveres se enterraban con cerámica o espejos[65]. La falta de momificación y de enterramiento con muchos objetos es otro aspecto extraño de los pueblos del valle del Indo, ya que no encajan del todo con el resto del mundo antiguo. Aunque los historiadores no saben por qué los enterraban así, puede sugerir que no pensaban en una vida después de la muerte.

Otra característica interesante de los restos humanos de los primeros cementerios del valle del Indo es que los huesos no muestran signos de cortes u otras heridas graves. Rara vez, o nunca, se enterraban armas con los cadáveres[66]. Esto es una prueba más de que el pueblo Harappa era pacífico y se mantenía alejado de la guerra o de cualquier otro tipo de violencia grave.

---

[63] Elshaikh, Eman. "Indus River Valley Civilizations".

[64] "Harappan Burials". Worldhistory.biz, 8 de enero de 2015, https://www.worldhistory.biz/ancient-history/67121-harappan-burials.html.

[65] "Harappan Burials".

[66] "Early Civilization in the Indus Valley". *Ancient Civilizations Online Textbook*. UsHistory.org, 2022, https://www.ushistory.org/civ/8a.asp.

Mehrgar

Mehrgar es otra famosa ciudad del valle del Indo, quizá una de las más antiguas. Fue ocupada por primera vez en el año 7.000 a. e. c. Sus habitantes se dedicaban a la agricultura, criaban animales de rebaño e incluso sabían utilizar los metales en su artesanía. Aunque la ciudad se fundó alrededor del 7000 a. e. c., la civilización del valle del Indo no se formó hasta el 3300 a. e. c. aproximadamente[67]. Esto significa que las personas que vivieron aquí fueron los antepasados de las personas que construyeron la civilización del valle del Indo. Sin embargo, no se considera que estos fundadores formaran parte de la civilización del valle del Indo por diversos factores, que en su mayoría tienen que ver con la falta de estructuras en este primer periodo de tiempo.

La fase más temprana de Mehrgar se denomina Neolítico acerámico, que abarca desde el 7000 al 5500 a. e. c. Este periodo está marcado por los estilos de construcción y la agricultura del yacimiento. La mayoría de las casas estaban hechas de ladrillos de barro. Su aspecto sería similar al de otras casas encontradas en Mesopotamia. Habría muy pocos edificios grandes en la ciudad; en ese momento, Mehrgar sería más una aldea agrícola adormecida que otra cosa. Sin embargo, en ese momento todavía se cazaba y recolectaba más que se cultivaba.

En esta época, los habitantes de Mehrgar aprendieron a criar ganado vacuno, caprino y ovino y a cultivar cebada y otros cereales[68]. En su mayor parte, todas estas cosas estaban a la par con lo que eran la mayoría de las civilizaciones antiguas en este período de tiempo. Nada era especialmente fantástico, y nada estaba demasiado atrasado con respecto al desarrollo de otras civilizaciones.

El siguiente período, de 5500 a 4800 a. e. c., es el Neolítico II. Durante esta época, los habitantes de Mehrgar dominaban la agricultura, aunque seguían centrándose sobre todo en los cultivos de cereales. Guardaban el grano cosechado en graneros de piedra o adobe. Las casas seguían siendo de adobe, pero empezaron a tener una forma más uniforme. La mayoría eran rectangulares. En esta época se construyeron por primera vez edificios más grandes, probablemente destinados a los artesanos. Con ello llegaron las primeras operaciones a gran escala de

---

[67] Hirst, K. Kris. "Mehrgarh, Pakistan and Life in the Indus Valley Before Harappa". ThoughtCo., 30 de mayo de 2019, https://www.thoughtco.com/mehrgarh-pakistan-life-indus-valley-171796.

[68] Hirst, K. Kris. "Mehrgarh, Pakistan and Life in the Indus Valley Before Harappa".

fabricación de abalorios y alfarería[69]. Una vez más, esto estaba más o menos a la par con lo que la mayoría de las otras civilizaciones antiguas estaban haciendo en este momento.

Lo más interesante aquí es la forma de los edificios y el desarrollo de edificios más grandes para fines comunales. Esto demuestra que los habitantes de Mehrgar empezaban a pensar a largo plazo en lo que respecta a la economía local y la planificación urbana. Esto podría haber allanado el camino para los intrincados sistemas reticulares que aparecieron en las ciudades del valle del Indo miles de años después.

El periodo Calcolítico III se extendió entre el 4800 y el 3500 a. e. c. Unos cientos de años antes del inicio oficial de la civilización del valle del Indo. Este periodo de tiempo generalizado se suele agrupar con el periodo Calcolítico VI, que va del 3500 al 3250 a. e. c., justo alrededor de la época en que comenzó realmente la civilización del valle del Indo, lo que significa que aquí es donde las cosas se ponen interesantes. En esta época, los estilos de construcción y los emplazamientos empezaban a estar más organizados y regulados. Las ciudades se dividían en asentamientos compactos y zonas suburbanas. Los ladrillos, normalmente de barro, empezaron a entrar en juego. En esta época, algunos edificios también se construían con una mezcla de piedra y barro. Los artesanos también empezaron a fabricar cerámica más artística y otras artesanías[70]. En definitiva, la arcilla y el barro fueron los principales protagonistas de estos dos periodos de tiempo. Una vez más, la civilización del valle del Indo estaba a la altura de otras civilizaciones antiguas.

Durante el periodo tardío en Mehrgar, desde el 3249 hasta su abandono alrededor del 2600 a. e. c., los habitantes de la ciudad mejoraron su artesanía, especialmente en lo referente a la fabricación de cerámica, cuero y abalorios. Los colonos también empezaron a trabajar más el metal, sobre todo el cobre. Por este motivo, los habitantes del valle del Indo se consideran una civilización de la Edad del Bronce[71]. Los historiadores sospechan que los habitantes de Mehrgar se trasladaron a la ciudad de Naushahro, más grande y situada a solo ocho kilómetros. Naushahro tenía fortificaciones más impresionantes y

---

[69] Hirst, K. Kris. "Mehrgarh, Pakistan and Life in the Indus Valley Before Harappa".

[70] Hirst, K. Kris. "Mehrgarh, Pakistan and Life in the Indus Valley Before Harappa".

[71] Hirst, K. Kris. "Mehrgarh, Pakistan and Life in the Indus Valley Before Harappa".

edificios más grandes[72]. Sin embargo, no hay una causa segura que los historiadores puedan aducir para explicar los motivos por los que los habitantes de Mehrgar abandonaron totalmente la ciudad. Solo nuevos estudios de la ciudad podrán resolver este misterio.

El yacimiento arqueológico de Mehrgar

mhtoori, CC BY-SA 4.0 <https://creativecommons.org/licenses/by-sa/4.0>, vía Wikimedia Commons, https://commons.wikimedia.org/wiki/File:Mehergrah_Site_Location.jpg

Conclusión

La primera civilización del Indo sentó las bases de todo lo que vino después. Al final de este periodo, los estilos de construcción y los patrones de cuadrícula empezaron a solidificarse. La cerámica y otras artesanías se volvieron más decoradas y estilísticamente avanzadas. A partir de ahí, algunas artesanías se comercializarían y se fabricarían a granel; los abalorios eran uno de los productos más comúnmente producidos en masa[73]. Poco después de este periodo, los colonos construyeron y se trasladaron a ciudades cada vez más grandes. Y a partir de aquí, todo se centró en hacerse más grande, mejor y más organizado en el valle del Indo. Así fue hasta el ocaso de la civilización.

---

[72] Wood, Michael. *In Search of the First Civilization*. BBC Books, 2005.

[73] Hirst, K. Kris. "Mehrgarh, Pakistan and Life in the Indus Valley Before Harappa".

Capítulo 3: Periodo maduro/medio del Indo (2500-1900 a. e. c.)

La siguiente etapa en la cronología de la civilización del valle del Indo se conoce como el periodo Maduro del Indo, el periodo Medio del Indo y la era de la Integración. Durante este periodo, las ciudades crecieron y se organizaron más. Entraron en juego las cuadrículas, la escritura y la regulación de los suministros para la construcción. Hay indicios de que empezaron a formarse clases sociales y económicas, lo que también influyó en la organización de las ciudades. Podría decirse que esta época fue el comienzo de las ciudades-estado en el valle del Indo[74]. En definitiva, fue una de las épocas más productivas de la civilización del valle del Indo. De hecho, fue la última época de la civilización del valle del Indo antes de que empezara a declinar.

Agricultura

La gente empezó a cultivar en el valle del Indo alrededor del año 4000 a. e. c. Al principio se dedicaron a cultivar cereales, judías y especias. Con el paso de los años y el cambio de las estaciones, ampliaron sus esfuerzos agrícolas para cultivar más cereales e incluso

---

[74] Meadow, Richard H. and Kenoyer, Jonathan, M. "Early Developments of Art and Symbol and Technology in the Indus Valley Tradition". Harappa, 2022, https://www.harappa.com/indus3/e2.html.

algodón[75]. La agricultura es el principio de cualquier gran civilización, como demuestra el hecho de que la civilización del valle del Indo comenzara oficialmente solo unos cientos de años después de que los habitantes de la zona empezaran a cultivar. Al cultivar durante todo el año, los habitantes de la zona se volvieron menos migratorios, centrándose menos en vivir únicamente de la caza y la recolección.

En los primeros años de la civilización del valle del Indo, los agricultores dependían por completo del suelo fértil. Debido a todos los ríos y afluentes, el valle del Indo tenía una tierra extremadamente fértil. Sin embargo, con el tiempo, la tierra empezó a secarse, volviéndose cada vez menos fértil. Para combatirlo, los arquitectos de la era de la Integración empezaron a construir sistemas de irrigación. Estos llevaban el agua de los ríos y afluentes más tierra adentro de lo que el agua podía llegar de forma natural. Los canales de riego solían ser de piedra, y algunos aún se conservan[76]. Sin estos canales de riego, los agricultores habrían tenido que desplazarse para mantener su estilo de vida y ocupación. Esto pudo haber provocado que la gente se desplazara fuera del valle del Indo, acabando con la civilización mucho más rápido.

Río Indo, Pakistán

Qaiserqmq. CC BY-SA 3.0, <https://creativecommons.org/licenses/by-sa/3.0>, vía Wikimedia Commons, 17 de agosto de 2014, https://commons.wikimedia.org/wiki/File:Indus_River_%28Sakardu%29_Pakistan.JPG

---

[75] Borland, William, Borz-Baba, Luca, and Farid, Sulmon, "Indus Valley Timeline". Sutori, 2017, https://www.sutori.com/en/story/indus-valley-timeline--wT3cJeHpx6TxYUQbC5ZTNXpD.

[76] Deepak, Prabeer. "Agriculture and Economy of Indus Valley Civilization".

Siendo el trabajo agrícola uno de los más antiguos del antiguo valle del Indo, también era uno de los más comunes. Además de cultivar plantas, muchos agricultores también se ocupaban de los animales domésticos. Gallinas, vacas, cabras y burros eran algunos de los animales de granja más comunes. Gran parte de los alimentos y de los animales se consumían en el valle del Indo, pero otra parte se comerciaba con países extranjeros[77]. Es justo decir que la agricultura en el valle del Indo habría sobrevivido y prosperado sin el comercio, pero el comercio entre el valle del Indo y otras civilizaciones no habría durado mucho sin un excedente de productos agrícolas.

Asentamientos y urbanización

El valle del Indo se urbanizó considerablemente más durante la era de la Integración que en periodos anteriores. A mediados del siglo XX a. e. c. había más de mil ciudades y asentamientos menores en el valle del Indo. La mayoría de estas ciudades se encontraban alrededor de varios grandes ríos y afluentes, principalmente los ríos Indo y Ghaggar-Hakra[78]. Recuerde que fue también durante este periodo cuando surgieron Mohenjo-daro y Harappa. Ambas ciudades son excelentes ejemplos de la habilidad de los pueblos del Indo para la arquitectura y la planificación urbana. Dado que estos temas ya se han tratado con detalle anteriormente, este capítulo se centrará en otros aspectos de la arquitectura, la planificación urbana y los edificios especializados de la era de la Integración.

La mayor parte de la tierra poblada del valle del Indo estaba nivelada de alguna manera. Esto facilitó la construcción y la hizo más segura, pero es probable que el proceso de nivelación no fuera fácil. Los trabajadores habrían tenido que hacer colinas en varias zonas. Como se mencionó en el capítulo I, la gente más pobre solía vivir en la parte baja de la ciudad, mientras que los miembros más ricos de la comunidad vivían en los niveles superiores.

El lado (este u oeste) de la ciudad en el que se encontraba un edificio también presentaba estilos diferentes. Las casas del este solían ser más pequeñas que las del oeste. Las partes occidentales de las ciudades solían tener más edificios públicos y una acrópolis[79]. Como nota al

---

[77] Deepak, Prabeer. "Agriculture and Economy of Indus Valley Civilization".

[78] "Indus Valley Civilization".

[79] "Harappan Architecture". Fum. Wiki, n.d.

---

margen, las diferencias en las viviendas eran una de las únicas señales que apuntaban a algún tipo de distinción de clases.

Cuanto más avanzada era la población de una ciudad, más variedad había en los edificios. Algunas de las ciudades más grandes tenían murallas protectoras y otras fortificaciones. Estos elementos se utilizaban para mantener alejados a los invasores y evitar las inundaciones[80]. Teniendo en cuenta la ausencia de inundaciones y conquistas, se puede afirmar que estas murallas cumplieron debidamente su función. El tamaño y la densidad de población de cada ciudad también ayudaron a determinar el tamaño de las casas. Muchos edificios residenciales eran del mismo tamaño, con casas ligeramente más grandes cerca de los niveles [de elevación] más altos de las ciudades[81]. Esto no solo demuestra que la civilización del valle del Indo tenía una sociedad relativamente igualitaria, sino también que existía una norma establecida sobre cómo se esperaba que los arquitectos crearan las nuevas estructuras.

Aparte de las viviendas, las ciudades de la era de la Integración solían tener mercados, sistemas de saneamiento, graneros, lugares de artesanía comunitaria y zonas de almacenamiento. Las ciudades ribereñas o marítimas también tenían astilleros[82]. La mayoría de estos edificios se construían con adobes. En esta época, la forma y el peso de los ladrillos se habían estandarizado, lo que ayudaba a que los edificios tuvieran un aspecto uniforme. A su vez, esto contribuyó a que las ciudades estuvieran más organizadas y urbanizadas.

Límite del astillero de Lothal
Jashjashjash, CC BY-SA 4.0 <https://creativecommons.org/licenses/by-sa/4.0>, vía Wikimedia Commons, 8 de noviembre de 2012, https://commons.wikimedia.org/wiki/File:The_Lothal_Dockyard_Boundary.jpg

---

[80] "Harappan Architecture".

[81] "Indus Valley Civilization".

[82] "Indus Valley Civilization".

Arquitectura

Observar los tipos de edificios que había en cada ciudad importante también puede pintar una imagen de cómo era la vida durante la era de la Integración. Los baños públicos eran algunos de los edificios más grandes de cualquier ciudad del valle del Indo. Aunque estaban hechas para contener agua, se construían con ladrillos de barro[83]. Los baños del valle del Indo tenían la misma función que los de la antigua Grecia.

El gran baño de Mohenjo-daro

Saqib Qayyum, CC BY-SA 3.0 <https://creativecommons.org/licenses/by-sa/3.0>, vía Wikimedia Commons, 4 de marzo de 2014, https://commons.wikimedia.org/wiki/File:Great_bath_view_Mohenjodaro.JPG

Los graneros eran de suma importancia. Los agricultores y las ciudades en su conjunto guardaban sus granos almacenados en graneros. Estos edificios, similares en cierto modo a los silos actuales, protegían el grano de las inclemencias del tiempo y de los animales. También garantizaban que los alimentos no se echaran a perder tan rápidamente.

Fuera de las granjas, la mayoría de los graneros se encontraban en la ciudadela. Los miembros ricos de la sociedad tenían un acceso más fácil a los cereales. También había graneros en los puertos y muelles. Los granos se utilizaban específicamente para el comercio[84]. Todavía hoy se pueden encontrar ruinas de algunos graneros en el valle del Indo.

---

[83] "Harappan Architecture".

[84] "Harappan Architecture".

En cuanto a los astilleros, estas estructuras también eran impresionantes. Los astilleros se construían lejos de las corrientes. Era menos probable que el limo se acumulara en el muelle y causara problemas a la navegación. Los astilleros también estaban equipados con una puerta de madera que se podía cerrar y abrir fácilmente. Esto ayudaba a que las embarcaciones del astillero no se vieran afectadas por las mareas altas y bajas[85]. Se trataba de una tecnología bastante avanzada para la época en la que vivían las civilizaciones de todo el mundo.

Aunque en este libro ya se ha hablado de los sistemas de riego y drenaje, los pueblos del valle del Indo no se detuvieron ahí en lo que respecta a la arquitectura basada en el agua. También tenían canales y lagos artificiales. Los canales se utilizaban principalmente para viajar y comerciar, pero los lagos artificiales servían para almacenar agua. El agua dulce de otros lugares se depositaba en estos lagos; el agua de lluvia también se recogía allí de forma natural[86]. Aparte de esto, los habitantes del valle del Indo tenían pozos y otros edificios más pequeños para almacenar agua, como la mayoría de las civilizaciones de esta época.

Un antiguo pozo en Lothal

Bernard Gagnon, CC BY-SA 3.0 <https://creativecommons.org/licenses/by-sa/3.0>, vía Wikimedia Commons, 27 de noviembre de 2013, https://commons.wikimedia.org/wiki/File:Lothal_-_ancient_well.jpg

---

[85] "Harappan Architecture".

[86] "Harappan Architecture".

Las presas se construían directamente sobre el agua y eran otra importante proeza arquitectónica basada en el agua. Estas presas controlaban la cantidad de agua que podía entrar o salir de una zona. Se utilizaban para evitar inundaciones, desviar partes de los ríos y almacenar agua[87]. Las presas también podían utilizarse con los sistemas de almacenamiento de agua y de drenaje general. Las presas se hacían a menudo con ladrillos de barro o piedra.

Por último, los harappa tenían acueductos. Como los acueductos de cualquier otro lugar, estos canales partían de elevaciones elevadas y descendían gradualmente a zonas más bajas, terminando normalmente en una cuenca u otra zona de almacenamiento de agua. Algunos acueductos se desviaban en distintas direcciones para suministrar agua a diferentes zonas de las ciudades[88]. Con todos estos sistemas de agua diferentes, parece que la mayoría de la gente, si no todos en el valle del Indo, habrían tenido fácil acceso al agua dulce.

Comercio

Aparte de la agricultura y la artesanía, se cree que el comercio era una de las principales ocupaciones de los habitantes del valle del Indo durante la era de la Integración. Como las ciudades del valle del Indo no tenían moneda, su economía funcionaba mediante el comercio y el trueque[89]. Por ello, el comercio se utilizaba tanto dentro de una comunidad como con el mundo en general.

Para comerciar con otras naciones, los comerciantes debían recorrer largas distancias. En la mayoría de los casos, viajaban por agua y no por tierra[90]. Viajar por agua era mucho más fácil que hacerlo por tierra debido a la situación geográfica del valle del Indo. La mayoría de las grandes ciudades del valle del Indo estaban centralizadas a lo largo de un río, un afluente de un río o un mar. Al mismo tiempo, el valle del Indo estaba algo separado del resto del mundo por tierra, ya que había grandes montañas entre el valle y el actual Oriente Próximo.

El uso del agua para el comercio y los viajes influyó directamente en los vehículos de transporte y la tecnología acuática del valle del Indo. La ciudad harappa de Lothal posee uno de los muelles más antiguos que se

---

[87] "Harappan Architecture".

[88] "Harappan Architecture".

[89] "Indus Valley Civilization".

[90] "Indus Valley Civilization".

conocen. El valle del Indo también tiene varios canales artificiales. Habrían necesitado barcos o balsas impresionantes para transportar suministros[91]. Sin embargo, estos barcos o balsas serían de madera y se habrían deteriorado. Por ello, los historiadores desconocen el aspecto de estas embarcaciones.

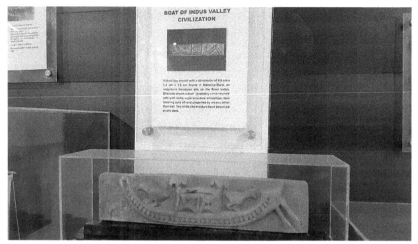

Imagen del Museo de Barcos de Calcuta

Santanupyne, CC BY-SA 4.0 <https://creativecommons.org/licenses/by-sa/4.0>, vía Wikimedia Commons, 19 de febrero de 2021, https://commons.wikimedia.org/wiki/File:Boat_Museum_in_kolkata_10.jpg

Uno de los puertos más antiguos y utilizados del valle del Indo fue el de Lothal. Este muelle se construyó en algún momento de los años 2000 a. e. c. Otro puerto de la era de la Integración estaba en Rangpur. La mayoría de los demás muelles antiguos hallados en el valle del Indo se supone que se construyeron cientos de años más tarde, posiblemente durante la etapa final de la ocupación del valle del Indo[92]. Las ruinas del muelle de Lothal aún pueden verse hoy en día.

Independientemente del modo en que los harappa transportaban sus mercancías, es impresionante lo lejos que viajaban y comerciaban. La mayor parte del comercio fuera del valle del Indo tuvo lugar en Mesopotamia. También comerciaban con países de Asia occidental y

---

[91] "Indus Valley Civilization".

[92] Rao, S.R. "Shipping and Maritime Trade of the Indus People". *Expedition Magazine* 7.3 (1965): n. pag. *Expedition Magazine*. Penn Museum, 1965 Web. 29 de junio de 2022 https://www.penn.museum/sites/expedition/?p=995>.

central, aunque a menor escala[93]. Los historiadores lo saben porque se han encontrado artefactos del valle del Indo en estos lugares en cantidades suficientemente elevadas. En las ruinas del valle del Indo también se han encontrado objetos procedentes de estos lugares lejanos.

Los alimentos y los productos animales eran algunos de los artículos comerciales más comunes. Algunos de los bienes más valiosos relacionados con la agricultura eran los cultivos de cereales y el ganado[94]. No solo vendían productos en bruto, sino también materiales procesados elaborados a partir de animales. La tela de algodón, las especias secas y otros alimentos eran algunos de los productos agrícolas procesados más populares[95]. Es probable que estos artículos fueran los más comercializados en el valle del Indo y con países extranjeros.

La cerámica y la joyería eran los siguientes artículos comerciales más populares. La mayor parte de la cerámica era de barro o arcilla. La vajilla (ollas, platos, tazas, cuencos, etc.) podía ser objeto de comercio en cualquier lugar, pero lo más probable es que se comercializara localmente[96]. Estos objetos podían ser decorados o sencillos. Cuanto más bella y hábil era la cerámica, más cara resultaba. Hay que recordar que la civilización del valle del Indo no utilizaba moneda, por lo que no hay forma de calcular el valor de ciertas piezas de cerámica en la moneda actual.

La joyería se fabricaba con casi cualquier cosa que los harappa tuvieran a mano. Se hacían cuentas de objetos tan comunes como la terracota o tan raros como el lapislázuli. Se utilizaban piedras preciosas, metales e incluso perlas para fabricar hermosos productos[97]. Algunas de las piezas son tan hermosas y están tan bien hechas que parecen algo que se puede encontrar en las tiendas hoy en día.

[93] "Indus Valley Civilization".

[94] Deepak, Prabeer. "Agriculture and Economy of Indus Valley Civilization".

[95] "What Did the Indus Valley People Trade?". Tutorials Point, 30 de julio de 2019, https://www.tutorialspoint.com/what-did-the-indus-valley-people-trade#

[96] "What Did the Indus Valley People Trade?".

[97] "What Did the Indus Valley People Trade?".

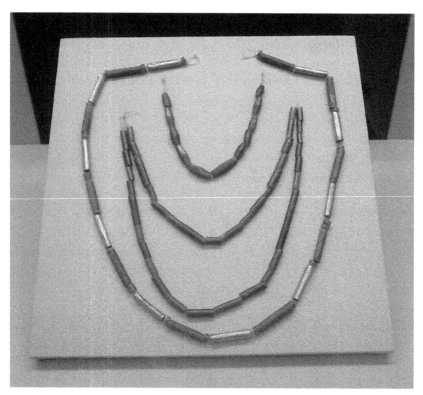

Cuentas de oro, lapislázuli y cornalina halladas en lo que fue Ur (Mesopotamia). Esta pieza procede del valle del Indo

Por supuesto, los harappa también comerciaban para obtener artículos. La mayoría de los artículos por los que comerciaban habrían sido artículos que no podían producir o encontrar en el valle del Indo. Los harappa comerciaban sobre todo con Mesopotamia, las zonas bajas de la India actual y China. Los mesopotámicos comerciaban con gemas y minerales. India proporcionaba cobre y plomo. China era la que comerciaba con más artículos diversos, probablemente porque era la más lejana, y enviaba a los harappa distintos tipos de madera y jade[98]. Los historiadores saben que estas civilizaciones comerciaban entre sí porque se han encontrado objetos del valle del Indo en ruinas de Mesopotamia, China y la actual India. También se han encontrado objetos de estas civilizaciones en las ruinas del valle del Indo.

---

[98] "What Did the Indus Valley People Trade?".

En la era de la Integración, la civilización del valle del Indo había aprendido a fabricar pesas y balanzas estandarizadas. Los objetos a granel y no artísticos se pesaban para determinar su valor comercial. También se pesaban los objetos utilizados para «pagar» otros objetos[99]. Se desconoce cómo se medía el valor de los objetos artísticos. Su valor era más subjetivo que objetivo.

Avances científicos

Los pueblos del valle del Indo también estaban bastante avanzados en matemáticas, que solían utilizar para la arquitectura, las mediciones, la metalurgia y los viajes. Tenían un sistema de medidas establecido, similar al que utilizamos hoy en día para medir en metros o pies. Utilizando estas medidas junto con cálculos matemáticos, los harappa podían medir la tierra y la distancia en el mar[100]. La capacidad de hacer ambas cosas mejoró las prácticas de construcción y el comercio dentro de la civilización y con otras naciones.

Alfarería y otros oficios

El nivel general de artesanía, así como la cantidad de material artístico que se fabricaba en el valle del Indo, explotó durante la era de la Integración. Como los harappa ya habían descubierto cómo fabricar bronce y su metalurgia, en general, estaba mejorando, sus artesanos empezaron a fabricar más obras de arte en metal, sobre todo esculturas y objetos pequeños[101]. Probablemente se utilizaban como adornos, regalos o juguetes.

La fabricación de abalorios estaba prácticamente dominada y comercializada en la era de la Integración. Se utilizaban grandes almacenes, similares a fábricas. Los artesanos acudían allí para fabricar cuentas de todo tipo de materiales, pero sobre todo de terracota y piedras. Para que las cuentas fueran más bellas y valiosas, los artesanos las esmaltaban[102]. Una vez terminadas, se utilizaban para hacer otras obras de arte, como joyas. También se comerciaba con ellas dentro de las comunidades y con otras naciones. Sin embargo, no se utilizaban como moneda.

---

[99] "What Did the Indus Valley People Trade?".

[100] "Indus Valley Civilization".

[101] "Indus Valley Civilization".

[102] "Indus Valley Civilization".

Cuentas de cornalina del valle del Indo excavadas en Susa

Las conchas y las piedras también eran materiales de artesanía habituales. Las conchas solían conservarse en su forma original y se añadían a las piezas de arte. Las piedras, por su parte, se tallaban y manipulaban de diferentes maneras para hacer esculturas y otros tipos de obras de arte[103]. Las conchas se utilizaban probablemente en joyería. Es probable que las mujeres llevaran joyas con más frecuencia que los hombres.

La cerámica y otros objetos de barro y terracota se fabricaban en el valle del Indo desde hacía siglos, pero su producción y calidad general empezaron a mejorar durante la era de la Integración. La cerámica se cubría con todo tipo de diseños. Algunos de los diseños de cerámica

---

[108] "Indus Valley Civilization".

más utilizados eran dibujos de animales[104]. En esta época, los habitantes del valle del Indo también habían inventado su propia forma de escritura. Por ello, gran parte de las obras de arte de esta época (cerámica y otras) también estaban escritas.

Símbolos

Describir los antiguos símbolos del valle del Indo es complicado porque los historiadores aún no pueden descifrarlos. Lo que sí saben los historiadores es que los símbolos se utilizaban como algún tipo de comunicación escrita. En total, hay más de cuatrocientas «letras» únicas en el lenguaje escrito del valle del Indo. Sin embargo, «letras» puede no ser la palabra adecuada, ya que estos símbolos representan más bien palabras o conceptos completos en vez de un solo sonido o sílaba. Los historiadores suponen esto porque rara vez se encuentran más de un puñado de símbolos en un artefacto determinado. La cadena de símbolos más larga encontrada en un artefacto solo tiene unos veinte caracteres[105].

Por lo tanto, el lenguaje escrito del valle del Indo está más cerca (como concepto) del chino, el japonés y otras lenguas actuales que utilizan símbolos en lugar de letras para formar palabras. Sin embargo, lo más probable es que se trate de una coincidencia. No hay pruebas suficientes para afirmar que una cultura aprendió su sistema de escritura de la otra.

Tecnología

Muchos registros históricos sobre la civilización del valle del Indo hacen mucho hincapié en el ladrillo de barro estandarizado de los harappa. Para la mayoría, esto parece algo que no tendría mucha importancia, pero era, de hecho, una maravilla arquitectónica en el mundo antiguo. Cada ladrillo se fabricaba siguiendo la misma proporción de tamaño y peso. El ladrillo tendría cuatro partes de largo, dos de ancho y una de espesor[106]. Esto le da una proporción de 4:2:1. Al utilizar una proporción, los ladrillos se podían fabricar para cualquier tipo de edificio. También sería fácil sustituir los ladrillos rotos, ya que todos los demás ladrillos de la misma estructura serían del mismo tamaño.

---

[104] "Indus Valley Civilization".

[105] "Indus Valley Civilization".

[106] "Indus Valley Civilization".

Ladrillo cortado de la fase Harappa, Pakistán, c. 2500-1900 a. e. c.
Daderot, CC0, vía Wikimedia Commons,
https://commons.wikimedia.org/wiki/File:Cut_brick,_Indus_Valley_Tradition,_Harappan_Phase
,_Chanhu_Daro,_Pakistan,_c._2500-1900_BC_-_Royal_Ontario_Museum_-_DSC09716.JPG

Con el tiempo, los habitantes del valle del Indo fueron adquiriendo cada vez más conocimientos de metalurgia. En la era de la integración, aprendieron a fabricar bronce, por lo que se los considera una civilización de la Edad del Bronce. Además del bronce, fabricaban diversos objetos de cobre, plomo y estaño. Aunque no utilizaban el oro con frecuencia, sabían cómo comprobar si era auténtico o no[107]. Conocer la autenticidad del oro habría hecho mucho más fiable el comercio con otras naciones.

Escultura de cobre de un cochero del período Harappa tardío, 2000 a. e. c.
Miya, M., CC BY-SA 3.0 <https://creativecommons.org/licenses/by-sa/3.0>, vía Wikimedia
Commons, 14 de junio de 2009,
https://commons.wikimedia.org/wiki/File:Coach_driver_Indus_01.jpg

---

[107] "Indus Valley Civilization".

Religión

Los historiadores desconocen qué religión practicaban los habitantes del valle del Indo, si es que practicaban alguna. Como ya se ha dicho, gran parte de las obras de arte harappa representan animales y no nada que se parezca a un dios o diosa clásico. Sin embargo, hay indicios de que adoraban a una diosa de la maternidad y la fertilidad, similar o igual a la que se adoraba en Mesopotamia en la misma época[108]. Esta diosa recibía diferentes nombres, siendo el más popular Nintud. Durante la ocupación del valle del Indo, la diosa madre era una de las deidades más valoradas en las religiones mesopotámicas. Nintud creó a la humanidad, facilitó el embarazo y se la podía rezar para facilitar el parto[109]. Una vez más, los historiadores no saben con certeza si los harappa adoraban a esta diosa, pero es probable.

Algunos sellos representan lo que podría ser una imagen sagrada. Uno de ellos muestra una figura similar a la del Pasupati, dios de las criaturas[110]. Hoy en día, Pasupati es adorado en la religión hindú. Aquí se lo considera un aspecto del Shiva (Señor Supremo). Esto es diferente de ser el señor de los animales, que era como el mundo antiguo podría haberlo visto[111]. Dado que la religión hindú comenzó en la India, no es imposible que el señor del Indo, Pasupati, pudiera tener alguna relación con el actual Shiva.

Un sello de Pasupati encontrado en el valle del Indo
https://commons.wikimedia.org/wiki/File:Shiva_Pashupati.jpg

---

[108] "Indus Valley Civilization".

[109] Brisch, Nicole. "Mother Goddess (Ninmag, Nintud/r, Belet-ili)". Ancient Mesopotamian Gods and Goddesses, Oracc and the UK Higher Education Academy, 2013, https://oracc.museum.upenn.edu/amgg/listofdeities/mothergoddess/.

[110] "Indus Valley Civilization".

[111] Mishra, Sampadananda. "Pashupati is not the Lord of Animals". Bhagavadgita.org, 27 de marzo de 2018, https://bhagavadgita.org.in/Blogs/5ab5f10f5369ed0e343a7ca0.

Capítulo 4: Periodo tardío del Indo (1900-1300 a. e. c.)

A finales del periodo del Indo se produjo tanto un punto álgido en el comercio con otras naciones como un declive gradual de la civilización del valle del Indo en su conjunto. El declive de la civilización del valle del Indo comenzó probablemente en torno al 1700 a. e. c. y continuó hasta su casi desaparición en torno al 1300 a. e. c. Los historiadores tienen diferentes teorías sobre cómo y por qué sucedió esto, así que vamos a profundizar en el período tardío del Indo.

Relaciones comerciales con otras civilizaciones

Sabemos que los pueblos del valle del Indo comerciaban principalmente con Mesopotamia, la parte baja de la actual India y China. Con todo el comercio que hubo entre estas civilizaciones, habrían necesitado tener algún tipo de relación sólida entre ellas. Hay que recordar que apenas hay pruebas de que los pueblos del valle del Indo participaran en guerras u otras batallas importantes. Esto implica que sus relaciones con sus socios comerciales habrían sido pacíficas.

Mesopotamia: Sumeria, Acad y otros

Los harappa comerciaron con los mesopotámicos durante siglos, si no milenios. En Mesopotamia había una gran variedad de etnias y culturas. En Mesopotamia, los harappa comerciaban principalmente con los sumerios, los acadios y los magan. Los magan eran los que vivían más cerca del valle del Indo, por lo que eran los que más comerciaban con los harappa[112]. El comercio con los magan permitía que las mercancías del valle del Indo viajaran por toda Mesopotamia.

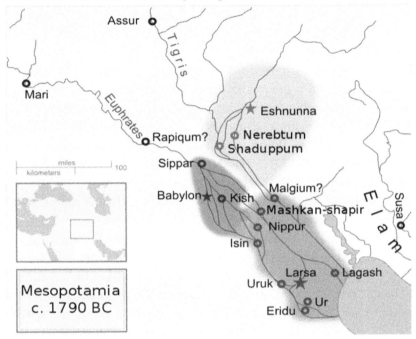

Mesopotamia en c. 1790 a. e. c.

Zoweee. CC BY-SA 3.0, https://creativecommons.org/licenses/by-sa/3.0/, 12 de julio de 2010, https://en.wikipedia.org/wiki/File:Mesopotamia-1790BC.svg

Los objetos más antiguos del valle del Indo encontrados en Mesopotamia se hallaron en las tumbas de Ur. Estos objetos datan de entre el 2600 y el 2400 a. e. c. La mayoría de estos objetos eran distintos tipos de joyas. Los objetos encontrados en otros lugares de Mesopotamia datan de alrededor del 2400 a. e. c. o después[113]. Con el paso de los años, los habitantes del valle del Indo siguieron viajando más lejos y comerciando con más productos.

Una de las zonas de Mesopotamia más alejadas del valle del Indo con indicios de relaciones comerciales es Acad. Para llegar hasta allí, los harappa tuvieron que remontar el río Éufrates. Los historiadores suponen que los harappa fueron a Acad, tanto por los bienes del valle

---

[112] B., Kanika. "Early Indus Civilization and Its Trade Relations". HistoryDiscussion.net, n.d., https://www.historydiscussion.net/history-of-india/indus-valley-civilisation/early-indus-civilization-and-its-trade-relations-india-history/7058.

[113] B., Kanika. "Early Indus Civilization and Its Trade Relations".

del Indo que se encontraron allí como porque el famoso Sargón de Acad escribió una vez sobre el pueblo Meluhha navegando para comerciar. Los sumerios también se refirieron al pueblo Meluhha. Los historiadores están de acuerdo en que los meluhha, los harappa y los del valle del Indo eran los mismos.

Los registros históricos de Mesopotamia hablan de los diferentes tipos de bienes que comerciaban con los meluhha, que coinciden con los registros arqueológicos de lo que comerciaban los harappa y los mesopotámicos[114]. Si los registros históricos y arqueológicos coinciden, podemos estar seguros de que los antiguos registros escritos son ciertos. Por suerte, los historiadores pueden leer la escritura mesopotámica, lo que ayuda a comprender mejor la relación de los mesopotámicos con los harappa, aunque los historiadores aún no puedan leer los textos harappa.

Con el paso del tiempo, las relaciones entre los harappa y los mesopotámicos se estrecharon. En algún momento entre 2400 a. e. c. y 1700 a. e. c., los mercaderes del valle del Indo podrían haber empezado a establecer residencias semipermanentes en Mesopotamia para facilitar mejor el comercio. Los registros arqueológicos que mejor apuntan a esta teoría son los sellos que dejaron los mercaderes del valle del Indo[115]. Aparte de esto, hay pocas pruebas arqueológicas de la residencia de los harappa en Mesopotamia. Pero si los harappa vivieron en Mesopotamia, habrían utilizado sobre todo objetos mesopotámicos, por lo que no podemos descartar la posibilidad de que esto ocurriera.

Hay indicios de residencia harappa en Mesopotamia tan lejos como Eshnunna, Acad. Aquí había más indicios de comerciantes harappa que en otras zonas. Los arqueólogos encontraron abalorios, cerámica y esculturas de animales de estilo harappa. En Eshnunna había un sistema de drenaje y alcantarillado similar al de Harappa y Mohenjo-daro[116]. Este sistema de drenaje es uno de los mejores ejemplos de ocupación harappa permanente o semipermanente en Mesopotamia. Es probable que los harappa enseñaran a los acadios locales a reproducir también sus sistemas de drenaje.

---

[114] B., Kanika. "Early Indus Civilization and Its Trade Relations".

[115] B., Kanika. "Early Indus Civilization and Its Trade Relations".

[116] B., Kanika. "Early Indus Civilization and Its Trade Relations".

Los harappa y los mesopotámicos comerciaban con todo tipo de productos, desde madera y metal hasta gemas y animales vivos. De todos ellos, el metal en bruto y las gemas eran algunos de los artículos comerciales más populares en Mesopotamia. La mayoría de estos artículos procedían directamente del valle del Indo o eran importados por los harappa y luego llevados a Mesopotamia para comerciar con ellos[117]. Una vez que los mesopotámicos se hacían con los productos del valle del Indo, utilizaban las materias primas para fabricar sus propias artesanías. Estas podían comercializarse con otras naciones más lejanas que el valle del Indo.

En primer lugar, echemos un vistazo a los materiales inorgánicos que los pueblos del valle del Indo comerciaban con los mesopotámicos. En este caso, el término inorgánico se referirá a cosas no vivas, como piedras, gemas y otras materias primas. Quizá una de las materias primas más comercializadas era la cornalina, un tipo de piedra roja. Las piedras de cornalina se extraían en masa en el valle del Indo. Una vez comercializadas, se utilizaban a menudo para hacer cuentas y otros tipos de obras de arte y joyas. Otra piedra popular era el lapislázuli, una gema bastante rara. Esta piedra también se utilizaba sobre todo para joyas y obras de arte. También se comerciaba a menudo con cobre, pero lo más probable es que los harappa obtuvieran el cobre comerciando con otras naciones, muy probablemente los magan o civilizaciones que vivían en la actual India[118]. Estos materiales inorgánicos se comercializaban tanto en bruto como elaborados. Las formas artesanales habrían valido más que las materias primas.

La agricultura y la explotación maderera eran dos actividades que ayudaban a producir bienes de comercio ecológico. Los productos agrícolas más populares eran el sésamo y el aceite de sésamo. Curiosamente, es probable que esta planta se originara en Mesopotamia y luego viajara al valle del Indo a través del comercio, para volver siglos más tarde a los mesopotámicos. Los harappa comerciaban con varios tipos de madera, como el sisu, el mangle y la teca. Mesopotamia tenía muy pocos árboles, por lo que dependía del comercio con los harappa. La madera se utilizaba para fabricar barcos, muebles y adornos[119]. Esto demuestra que la mayoría de los productos agrícolas se comercializaban

---

[117] B., Kanika. "Early Indus Civilization and Its Trade Relations".

[118] B., Kanika. "Early Indus Civilization and Its Trade Relations".

[119] B., Kanika. "Early Indus Civilization and Its Trade Relations".

dentro del valle del Indo y no con países extranjeros.

También se comerciaba con animales y productos animales con Mesopotamia. Los harappa criaban y domesticaban algunos de los animales con los que comerciaban. La mayoría eran ovejas, íbices y perros. Sin embargo, la mayoría de los animales con los que comerciaban eran capturados. Entre ellos había leones, elefantes, búfalos de agua y monos. También comerciaban con productos derivados de estos animales, como lana y marfil[120]. Como los habitantes del valle del Indo comerciaban con animales tan grandes como búfalos de agua y elefantes, necesitaban grandes embarcaciones.

India

Los historiadores saben más sobre lo que los pueblos del valle del Indo obtuvieron del comercio con otras civilizaciones de la India que lo que estas otras civilizaciones obtuvieron de ellos. Como ya se ha dicho, los harappa comerciaban con cobre con los mesopotámicos, pero probablemente no lo extraían ellos mismos. En cambio, es probable que obtuvieran el cobre comerciando con varias tribus de la India. El plomo era otro mineral común que probablemente obtuvieron de los indios[121]. Mucho de esto es especulativo, ya que los historiadores no pueden leer ningún registro escrito de los harappa sobre sus acuerdos comerciales.

Sin embargo, los historiadores saben que el punto álgido de la relación comercial entre la India y los harappa tuvo lugar entre 2000 y 1800 a. e. c. Estas fechas fueron determinadas por la datación por radiocarbono de objetos encontrados en la India y el valle del Indo[122]. Estas fechas coinciden casi perfectamente con el inicio del periodo Harappa tardío.

Aunque la India actual era la civilización más cercana con la que comerciaban los pueblos del valle del Indo, parece ser la relación comercial de la que menos saben los historiadores y arqueólogos. Esto se debe a la falta de registros históricos escritos (que los historiadores puedan leer) y a las abundantes pruebas arqueológicas.

---

[120] B., Kanika. "Early Indus Civilization and Its Trade Relations".

[121] Elshaikh, Eman. "Indus River Valley Civilizations".

[122] Allchin, F. Raymond, Srivastava, A.L., Alam, Muzaffa, Dikshit, K.R, Thapar, Romila, Spear, T.G. Percival, Champakalakshmi, R, Schwartzberg, Joseph E., Subrahmanyam, Sanjay, Wolpert, Stanley A. y Calkins, Philip B. "India". Encyclopedia Britannica, 29 de junio de 2022. https://www.britannica.com/place/India.

China

Resulta impresionante que los chinos y los harappa pudieran comerciar entre sí con tanta frecuencia como lo hicieron debido a la gran distancia que separaba a ambas civilizaciones. A diferencia de los comerciantes indios, los chinos mantuvieron registros escritos que los historiadores actuales pueden leer. Los antiguos historiadores y comerciantes chinos escribieron sobre el comercio en el valle del Indo. Sin embargo, se refieren a la zona como «Shendu» y «Sindh»[123]. Con todas estas pruebas escritas, los historiadores saben más sobre el comercio del valle del Indo con China que con la India.

Es probable que los mercaderes chinos hicieran la mayor parte del trabajo a la hora de viajar. A finales del periodo del Indo, los chinos ya habían creado intrincadas rutas comerciales que se extendían por Asia occidental y partes del actual Oriente Próximo. Dado que los chinos eran los que más viajaban, no es de extrañar que una de las mayores ciudades comerciales del valle del Indo y China fuera Harappa[124]. Sin duda, los comerciantes chinos influyeron en la sociedad harappa. Aunque los historiadores no lo saben con certeza, es posible que los chinos influyeran en la escritura del Indo, ya que ambas escrituras utilizan caracteres en lugar de letras.

Se sabe menos sobre los objetos con los que comerciaban chinos y harappa. Los historiadores saben que el valle del Indo recibía jade y madera de cedro de China[125]. Sin embargo, no se sabe mucho sobre lo que China obtuvo del valle del Indo. Sin embargo, los historiadores pueden suponer que obtuvieron muchos de los mismos artículos que India y Mesopotamia, como cornalina, aceites alimenticios, varios tipos de madera y obras de arte hechas con materiales nativos del valle del Indo.

Ausencia de guerras

Algunos historiadores sugieren que el valle del Indo pudo evitar por completo la guerra porque estaba muy aislado de otras civilizaciones. Con todas las pruebas que apuntan a que el valle del Indo era un centro comercial y que los mercaderes podían viajar cientos de kilómetros para

---

[123] IvyPanda. "The History of Indus and Chinese Civilizations Interaction". 2 de noviembre de 2021. https://ivypanda.com/essays/the-history-of-indus-and-chinese-civilizations-interaction/.

[124] IvyPanda. "The History of Indus and Chinese Civilizations Interaction".

[125] "What Did the Indus Valley People Trade?".

comerciar con otras civilizaciones, esta teoría no tiene mucho peso. En cambio, es más probable que los habitantes del valle del Indo fueran un grupo pacífico que no tenía enemigos «naturales», no por su situación geográfica, sino por sus relaciones amistosas con las naciones cercanas.

Uno de los principales factores que apuntan a que los pueblos del valle del Indo eran pacíficos es su supuesta falta de un gobierno centralizado. Aunque en las ciudades había algunas viviendas más grandes que otras, los arqueólogos no han podido señalar ningún edificio como templo o palacio[126]. La ausencia de estos edificios apunta a una falta de disparidad de clases, lo que la mayoría vería como algo positivo. El hecho de no tener pruebas sólidas de un gobierno centralizado también puede apuntar hacia la teoría de que los pueblos del valle del Indo podrían haber tenido ciudades-estado. Por supuesto, los historiadores no pueden estar seguros de nada de esto, ya que no pueden leer ningún escrito del Indo que pudiera explicar cómo era su gobierno.

Muchas de las ciudades más pequeñas del valle del Indo no tenían grandes fortificaciones o murallas alrededor de cada ciudad. Tampoco había pruebas de grandes edificios militares en las ciudades. Ambas cosas, o más bien la falta de ellas, demostraban que los habitantes de esta zona no temían a sus vecinos[127]. En lugar de utilizar sus materiales de construcción en estas estructuras, pudieron centrarse más en la construcción de viviendas y sistemas de saneamiento. Es posible que la falta de amenazas pudiera ser parte de la razón por la que el valle del Indo era una sociedad tan avanzada para su época.

También es sorprendente la escasez de armas encontradas en tumbas y otras zonas de las ciudades del valle del Indo. La mayoría de las armas encontradas eran más bien armas de caza que armas de combate[128]. Si la civilización del valle del Indo participó en guerras, hubiese sido mucho más fácil para los arqueólogos encontrar armas. Esto puede apuntar a dos posibilidades: o bien los habitantes del valle del Indo no tenían muchas armas, o bien destruyeron todas sus armas antes de que desapareciera su civilización. ¿Cuál es la opción más probable?

---

[126] Taub, Ben. "Was the Indus Valley Civilization Really a Non-Violent, Egalitarian Utopia?". IFL Science, 19 de septiembre de 2016, https://www.iflscience.com/indus-valley-civilization-really-non-violent-egalitarian-utopia-37974.

[127] Taub, Ben. "Was the Indus Valley Civilization Really a Non-Violent, Egalitarian Utopia?".

[128] Taub, Ben. "Was the Indus Valley Civilization Really a Non-Violent, Egalitarian Utopia?".

La teoría de que en el valle del Indo no hubo guerras es asombrosa. Tampoco hay pruebas de grandes zonas calcinadas, lo que significa que ninguna de las ciudades del valle del Indo llegó a incendiarse[129]. Si las ciudades hubieran sido atacadas, incendiadas y saqueadas, habría alguna prueba de ello. En cambio, parece como si los harappa fueran excelentes evitando conflictos, algo casi inaudito para una civilización antigua.

Transporte

Cuando se trataba de viajar dentro de cada ciudad o en distancias cortas, los harappa solían hacerlo a pie o en carros[130]. Los historiadores también saben que los harappa no domesticaron muchos animales para montar. Es posible que montaran burros o los utilizaran para transportar mercancías[131]. En general, las ciudades eran fáciles de recorrer, por lo que la mayoría de la gente probablemente iba a pie a donde tenía que ir.

Los harappa necesitaban embarcaciones fiables para recorrer largas distancias por mar. Los escritos y el arte antiguos muestran que los habitantes del valle del Indo tenían grandes embarcaciones. Eran lo bastante grandes para transportar a varias personas a la vez y suficiente carga para que el viaje a Mesopotamia y otros lugares mereciera la pena. Sargón de Acad fue uno de los primeros en mencionar a los Meluhha desembarcando un barco en el astillero[132]. Sabiendo esto, los historiadores pueden afirmar con seguridad que los harappa habrían dominado la fabricación de estos barcos en algún momento antes del 2300 a. e. c.[133]. Sin duda, con el paso del tiempo se convirtieron en mejores constructores navales.

---

[129] Mhackworth. "No Interest in War: The Harappan Civilization". Real Archaeology. Vassar. 22 de septiembre de 2017, https://pages.vassar.edu/realarchaeology/2017/09/22/no-interest-in-war-the-harappan-civilization/#:~:text=This%20is%20the%20Harappan%20civilization,ancient%20cities%20to%20do%20so.

[130] "Harappan Culture". Students of History, n.d., https://www.studentsofhistory.com/harappan-planned-cities#:~:text=They%20used%20wheeled%20carts%2C%20boats,from%20the%20north%20in%20Afghanistan.

[131] Deepak, Prabeer. "Agriculture and Economy of Indus Valley Civilization".

[132] B., Kanika. "Early Indus Civilization and Its Trade Relations".

[133] Dalley, Stephanie M. "Sargon". *Encyclopedia Britannica*, 5 de enero de 2021. https://www.britannica.com/biography/Sargon.

Declive

Como tantas otras cosas que rodean a la cultura Harappa, su declive y desaparición final es un misterio. Aunque los historiadores saben que algo causó el declive de la civilización, no saben qué lo causó exactamente. Esto se debe, en gran parte, a la incapacidad de los historiadores para leer los textos harappa. Otras culturas de su entorno no escribieron mucho sobre su desaparición. Por supuesto, los historiadores tienen teorías sobre lo que pudo ocurrir. Las teorías se discuten brevemente a continuación, pero se tratarán con más detalle más adelante en este libro.

La primera teoría se conoce como la teoría de la invasión aria. Según esta teoría, en algún momento después de 1800 a. e. c., una tribu llamada arios comenzó a viajar desde Asia Central hacia las actuales India y Pakistán. A diferencia de los harappa, los arios eran belicosos. Según esta teoría, los arios llegaron a algunas de las ciudades más grandes del valle del Indo, como Mohenjo-daro, y arrollaron a sus habitantes, ya que disponían de más armas y caballos. Todos los habitantes del valle del Indo habrían sido asesinados por los arios u obligados a asimilarse a su cultura[134].

La teoría de la invasión aria fue más popular entre los años veinte y principios de los cuarenta. Su principal defensor fue un arqueólogo llamado Mortimer Wheeler. Mientras excavaban partes de Mohenjo-daro, Wheeler y su equipo encontraron algunos esqueletos no enterrados. Wheeler teorizó que estos cuerpos estaban insepultos porque habían muerto en batalla y nadie había estado cerca para darles un entierro apropiado. Si estas personas murieron en batalla, alguien tuvo que hacer la matanza, por lo que Wheeler convirtió a los arios en los villanos de la historia de la civilización Harappa[135].

Sin embargo, hay muchos agujeros notables en esta teoría. Por eso hay que tener en cuenta que esta teoría se elaboró poco después de que se encontraran por primera vez Harappa y Mohenjo-daro, por lo que Wheeler (y todos los demás) aún no sabía mucho sobre la civilización del valle del Indo.

---

[134] "Disappearance of the Indus Valley Civilization". LumenCandela. Lumen Learning, n.d., https://courses.lumenlearning.com/suny-hccc-worldcivilization/chapter/disappearance-of-the-indus-valley-civilization/.

[135] "Disappearance of the Indus Valley Civilization".

La teoría de la invasión aria quedó más o menos desacreditada a mediados de la década de 1940. Una vez que los arqueólogos obtuvieron más información sobre harappa y Mohenjo-daro, se consideró menos probable que los cadáveres fueran víctimas de la guerra. En cambio, era más probable que la gente fuera enterrada rápidamente, cerca del final de la civilización[136]. Además, hay que recordar que los arqueólogos, a lo largo del tiempo, apenas han encontrado armas o cuerpos que estuvieran evidentemente devastados por la guerra (que tuvieran cortes en los huesos o heridas mortales en la cabeza), lo que se encontraría en una cultura que fue derrotada en una guerra importante.

Otra teoría es la del cambio climático. Si esta teoría fuera cierta (cosa que los historiadores aún no saben), el cambio climático que condujo al final de la civilización Harappa habría comenzado alrededor de 1800 a. e. c. Hay dos teorías diferentes dentro de esta teoría: una que implica inundaciones y otra que implica sequías[137]. Aunque estos dos cambios climáticos naturales son opuestos entre sí, existe una gran posibilidad de que uno de estos dos acontecimientos tuviera lugar.

En primer lugar, veamos la hipótesis de la sequía. En esta teoría, los historiadores creen que el río Saraswati comenzó a secarse. Los historiadores saben que este río comenzó a secarse en algún momento alrededor de 1900 a. e. c.[138]. Este río habría estado situado a unos cientos de millas al este del río Indo y habría tenido más o menos la misma longitud. Hoy en día ya no existe[139]. Aunque es probable que este río desapareciera lentamente, su desaparición habría tenido un tremendo impacto en el medio ambiente que lo rodeaba, en más de un sentido.

Al secarse el río, el valle del Indo habría perdido una importante fuente de agua. Esto habría afectado a todo, desde la vida vegetal alrededor del río hasta los sistemas de irrigación más cercanos a las ciudades. La falta de agua habría dificultado las tareas cotidianas, desde lavar hasta cultivar. Sin la posibilidad de cultivar, los habitantes de los alrededores del río Saraswati habrían tenido que desplazarse, importar alimentos o morir de hambre.

---

[136] "Disappearance of the Indus Valley Civilization".

[137] "Disappearance of the Indus Valley Civilization".

[138] "Disappearance of the Indus Valley Civilization".

[139] Mani, B.R. "The 8th Millennium BC in the "Lost" River Valley". Friends of ASI, 2013, https://friendsofasi.wordpress.com/writings/the-8th-millennium-bc-in-the-lost-river-valley/

En cuanto a la teoría de las inundaciones, el valle del Indo estaba acostumbrado a la estación de los monzones. Esto a veces podía traer inundaciones si la lluvia era demasiado fuerte. Las fuertes lluvias podían dañar los edificios o matar los cultivos[140]. Una vez más, la pérdida de los cultivos habría sido el clavo en el ataúd. Al final, las inundaciones habrían tenido más o menos los mismos efectos a largo plazo que una gran sequía.

Desaparición

Sea cual sea la causa del fin de la civilización del valle del Indo, los historiadores, en su mayoría, no creen que todos los harappa murieran repentinamente o que su grupo étnico fuera aniquilado. Lo más probable es que los habitantes del valle del Indo se fueran trasladando poco a poco a las zonas circundantes. Muchos harappa se trasladaron a la cuenca del Ganges. Fueran donde fueran, se asimilaron a las culturas nativas. Aun así, los arqueólogos pudieron encontrar algunos artefactos que se asemejaban a las prácticas y artes harappa[141]. Estos artefactos se convirtieron en algunas de las principales pruebas utilizadas para demostrar que el pueblo del valle del Indo no desapareció simplemente de la faz de la tierra.

---

[140] "Disappearance of the Indus Valley Civilization".

[141] "Disappearance of the Indus Valley Civilization".

Segunda parte:
La vida cotidiana en la
civilización del valle del Indo

Capítulo 5: Agricultura y ganadería

La agricultura fue extremadamente importante en el valle del Indo a lo largo de sus dos mil años de historia. Sin un firme dominio de las prácticas agrícolas, ninguna civilización antigua habría podido asentarse en un mismo lugar durante tanto tiempo. La agricultura es lo que convierte los campamentos nómadas en asentamientos estacionarios. Aunque las prácticas agrícolas del valle del Indo ya se han descrito en capítulos anteriores, este capítulo analizará la agricultura y la cría de animales a una escala más amplia para explicar lo importante que era la agricultura para los harappa.

Suelo fértil

El valle del Indo estaba situado entre varias fuentes de agua, como el río Indo, el río Ganges y el mar Arábigo. Tanto Mohenjo-daro como Harappa estaban cerca de las orillas del río Indo, mientras que el astillero de Lothal estaba más cerca del mar Arábigo. El agua también procedía de otras fuentes, en su mayoría afluentes de los ríos principales. Algunos de los afluentes más importantes eran el Ravi, el Chenab y el Jhelum[142]. Todos estos cursos de agua se extendían por todo el valle del Indo y sus alrededores, razón por la cual su suelo era tan fértil. Sin embargo, hoy en día no es tan fértil como antes, debido sobre todo a los

---

[142] Burki, Shahid J. and Ziring, Lawrence. "Pakistan". Britannica, 1 de julio, 202, https://www.britannica.com/place/Pakistan

cambios climáticos que se han producido a lo largo de los siglos.

Temporada de monzones

Además de los ríos y los mares, el valle del Indo también tenía dos estaciones monzónicas, que a veces se denominan estaciones de inundación o de sequía. Una de las estaciones monzónicas comenzaba en octubre y se prolongaba hasta febrero. Los vientos empezaban en el norte y se desplazaban hacia el oeste. En lugar de aportar humedad, provocaban aire seco. Esto a veces podía causar sequías y bajar el nivel del agua de los ríos.

La otra estación monzónica comenzaba en junio y se prolongaba hasta principios de octubre. Estos vientos empezaban en el sur, cerca del océano Índico, y se desplazaban hacia el este. Estos monzones traían fuertes vientos y lluvias. Podían hacer maravillas para sostener los cultivos, o podían causar inundaciones si el tiempo era demasiado severo[143].

Recuerde, una de las teorías de por qué los harappa abandonaron el valle del Indo fue debido al cambio climático. Si esta teoría es cierta, entonces las dos estaciones monzónicas podrían haber sido actores clave en el fin de la civilización del valle del Indo.

Aunque los monzones podían traer la destrucción, también eran una de las razones por las que el suelo era tan fértil. Los monzones hacían su mejor trabajo durante la estación lluviosa. Durante esta estación, el río Indo solía desbordarse, proporcionando más agua y más minerales al suelo que lo rodeaba[144]. Como las estaciones de los monzones eran predecibles, los harappa llegaron a confiar en la estación húmeda de los monzones para aumentar la producción de sus cultivos y ahorraban agua para prepararse para la estación seca.

La agricultura como forma de vida

El suelo fértil facilitaba el crecimiento de todo tipo de cultivos. Los cereales, como el trigo y la cebada, fueron de los primeros en plantarse.

---

[143] "Geography of the Ancient Indus River Valley". Students of History, 2022, https://www.studentsofhistory.com/the-geography-of-ancient-india#:~:text=The%20Indus%20River%20Valley%20is,steady%20supply%20of%20fresh%20water.

[144] Marsh, Matthew G. "Tools of Agriculture in the Indus Civilization". *History of Applied Science & Technology*, 2017, https://press.rebus.community/historyoftech/chapter/tools-of-agriculture-in-the-indus-civilization/

A medida que los agricultores se acostumbraron a plantar más tipos de alimentos, empezaron a cultivar cosas que no podían comer, como el algodón[145]. Por supuesto, los cultivos exactos que un agricultor cultivaba dependían de lo que tenían acceso a través del comercio y de dónde vivían exactamente en el valle del Indo.

No existe una cronología exacta que indique cuándo empezaron a cultivar los harappa cada nueva variedad de planta. Los arqueólogos saben que empezaron con cultivos de cereales básicos; poco después, aprendieron a producir diferentes tipos de mijo[146]. En cierto modo, este fue uno de los primeros casos de mejora selectiva en la agricultura.

A medida que los agricultores iban adquiriendo experiencia, las comunidades en su conjunto empezaron a depender menos de la caza y la recolección y a centrarse más en la agricultura. Pronto, los agricultores plantaron no solo cultivos básicos y cereales, sino también frutas y verduras. Melones, dátiles y uvas eran algunos de los alimentos más plantados. El algodón, que se utilizaba para fabricar telas, se añadió más tarde[147]. Antes de utilizar el algodón, los harappa probablemente usaban pieles de animales para vestirse, algo habitual en muchas civilizaciones antiguas.

Técnicas agrícolas

Los harappa utilizaban su conocimiento de las estaciones monzónicas y de las plantas para planificar cuándo sembrar las semillas y cuándo recoger las cosechas. La mayoría de las veces, los agricultores plantaban sus semillas en noviembre. De este modo, las semillas maduraban sin ser arrastradas por las inundaciones. Las plantas se cosechaban en abril[148]. Estas fechas podían cambiar si la estación de los monzones no empezaba y terminaba cuando se esperaba.

Los arqueólogos descubrieron que los harappa utilizaban el método del surco para arar y plantar[149]. El surcado es la técnica de hacer hileras en un campo. Las hileras se colocan en forma de pila elevada y zanja

---

[145] "Geography of the Ancient Indus River Valley".

[146] Marsh, Matthew G. "Tools of Agriculture in the Indus Civilization".

[147] Marsh, Matthew G. "Tools of Agriculture in the Indus Civilization".

[148] Marsh, Matthew G. "Tools of Agriculture in the Indus Civilization".

[149] Amruta, Patil. "Agriculture During Indus Valley Civilization - Ancient India History Notes". University of North Dakota. Prepp, 6 de julio de 2022, https://prepp.in/news/e-492-agriculture-during-indus-valley-civilization-ancient-india-history-notes

baja[150]. Esto facilita la separación de las plantas que necesitan tener raíces más profundas y menos profundas, así como el espaciado entre plantas.

Un ejemplo de surco de campo
Gratis para uso comercial, Pixabay, https://pixabay.com/service/license/, 29 de abril de 2016, https://pixabay.com/photos/field-fields-furrow-agriculture-1359496/

El uso de un sistema de surcos ayudaba a reducir las inundaciones y la erosión del suelo. El exceso de lluvias, que era un problema medioambiental habitual durante la estación húmeda de los monzones, podía causar tanto inundaciones como erosión. El sistema de surcos también protegía de la erosión causada por el viento[151]. Por tanto, al utilizar un sistema de surcos, las granjas de los harappa habrían sido más duraderas durante la estación de las inundaciones. Cuanto más duradero fuera el campo, más probabilidades tendrían los cultivos de sobrevivir.

Ganadería

Con el paso del tiempo, los harappa aprendieron a domesticar animales de carga para facilitar la agricultura. También los utilizaban como fuente de carne y otros productos animales. Es probable que el ganado vacuno y los bueyes fueran domesticados en Mesopotamia y el

---

[150] Karuga, James. "What is a Furrow (In Agriculture)?". World Atlas, 25 de abril de 2017, https://www.worldatlas.com/articles/what-is-a-furrow-agriculture.html.

[151] Karuga, James. "What is a Furrow (In Agriculture)?".

actual Oriente Próximo alrededor del año 6000 a. e. c. Estos animales pudieron llegar al valle del Indo a través de los emigrantes de Oriente Próximo o del comercio. Los cebúes, también conocidos como bovinos jorobados, fueron domesticados probablemente por los habitantes del valle del Indo o sus predecesores hacia el año 4000 a. e. c.[152]. El ganado y los bueyes se utilizaban a menudo para arrastrar arados en los campos. Aunque la agricultura podría haberse realizado sin la ayuda de animales domésticos, habría sido mucho más laboriosa y difícil.

Los camellos bactrianos de dos jorobas y los burros también se utilizaban como mano de obra. Los burros y los camellos se utilizaban para viajar y transportar equipos[153]. En teoría, los camellos podrían haber servido para tirar de arados o carros, pero el ganado vacuno habría sido una opción más eficiente para cualquiera de esas tareas. Los asnos podían tirar de carros y arados, pero no soportaban tanto peso como el ganado vacuno debido simplemente a su tamaño.

La mayoría de los animales domésticos se criaban para obtener carne, leche, pieles, cuero y lana. Las cabras, las ovejas y los cerdos fueron domesticados antes de que se formara la civilización del valle del Indo[154]. El búfalo asiático, también conocido como búfalo de río, se domesticó más tarde, alrededor del año 3000 a. e. c. El búfalo de río fue probablemente domesticado por primera vez por los habitantes del valle del Indo[155]. El búfalo asiático |no tiene el aspecto ni el comportamiento del búfalo americano (bisonte), sino que se parece más al ganado vacuno. Se habrían utilizado de forma similar al ganado vacuno.

---

[152] "Domestication Timeline". American Museum of Natural History, n.d., https://www.amnh.org/exhibitions/horse/domesticating-horses/domestication-timeline

[153] Marsh, Matthew G. "Tools of Agriculture in the Indus Civilization".

[154] "Domestication Timeline".

[155] "Water Buffalo". Johne's Information Center. University of Wisconsin-Madison, 2022, https://johnes.org/other-animals/water-buffalo/

Búfalo asiático salvaje
Mammalwatcher, CC0, vía Wikimedia Commons
https://commons.wikimedia.org/wiki/File:Wild_water_buffalo_Lunugamvehera_NP.JPG

Herramientas agrícolas

Las herramientas agrícolas son esenciales para cualquier civilización que no quiera hacerlo todo a mano. Como ya se ha mencionado, los habitantes del valle del Indo tenían arados y probablemente empezaron a utilizarlos poco después de domesticar el ganado cebú[156]. Sin embargo, los harappa no inventaron el arado. Muchas culturas de todo el mundo inventaron de forma independiente su propio tipo de arado, pero los harappa aprendieron a fabricarlo y utilizarlo de los sumerios. Sus arados eran de madera, lo que los hacía lo bastante ligeros como para que los animales pudieran tirar de ellos[157]. Como los arados eran de madera, todos se han descompuesto. Los historiadores solo pueden adivinar su aspecto basándose en las obras de metal y piedra de la época que representan arados y trabajos agrícolas.

Al igual que el arado, los harappa también utilizaban carros con ruedas. A menudo eran tirados por bueyes u otros animales de carga. Aunque también eran de madera, los historiadores tienen una idea más

---

[156] Marsh, Matthew G. "Tools of Agriculture in the Indus Civilization".

[157] Amruta, Patil. "Agriculture During Indus Valley Civilization - Ancient India History Notes".

clara de su aspecto. Los arqueólogos han encontrado más obras de arte y juguetes de metal que de arado. Por ello, los arqueólogos saben que las ruedas de estos carros eran de madera maciza (no eran ruedas de radios)[158]. El carro es una prueba más de que los harappa sabían utilizar animales para la agricultura.

Cuando llegaba el momento de cosechar las plantas, los harappa utilizaban hoces de piedra. Aunque con el tiempo aprendieron a utilizar el cobre y otros metales, siguieron empleando la piedra en la agricultura[159]. Lo más probable es que esto se debiera a que la piedra era mucho más barata que otros metales.

Cuando aprendieron a cultivar y cosechar cereales, empezaron a utilizar hoces y otros utensilios similares. Estas herramientas solían ser de piedra. Se colocaban granos enteros sobre la piedra y se trituraban hasta convertirlos en un polvo áspero para obtener un producto similar a la harina[160]. Sin esta herramienta, los harappa no habrían podido hacer pan ni otros alimentos similares.

Alforja y piedra de frotar
H. Claire. CC BY-SA 2.0 Generic, <https://creativecommons.org/licenses/by-sa/2.0>, vía Wikimedia Commons, 22 de junio de 2008, https://commons.wikimedia.org/wiki/File:Saddle_Quern_and_Rubbing_Stone.jpg

[158] Amruta, Patil. "Agriculture During Indus Valley Civilization - Ancient India History Notes".

[159] Marsh, Matthew G. "Tools of Agriculture in the Indus Civilization".

[160] Amruta, Patil. "Agriculture During Indus Valley Civilization - Ancient India History Notes".

Impacto del sistema de riego en la producción de cultivos

Como el valle del Indo atravesaba estaciones húmedas y secas cada año, los agricultores tenían que planificar formas de trabajar en torno a los cambios estacionales y con ellos. Durante la estación húmeda, esto significaba almacenar agua extra en varios embalses y otras construcciones de almacenamiento de agua. En la estación seca, el agua ahorrada durante la estación húmeda se utilizaba para evitar la sequía.

Antes de que se utilizara el regadío, los nativos debían desplazarse por la zona, asentándose en áreas principalmente durante las estaciones húmedas. Durante las épocas más secas del año, llevaban un estilo de vida migratorio. A medida que se construyeron más sistemas de regadío y las prácticas agrícolas se hicieron más avanzadas, los habitantes del valle del Indo pudieron volverse menos nómadas[161]. Sin embargo, los sistemas de riego no son necesarios para que una civilización deje de ser nómada. Pero los sistemas de regadío facilitan el abandono del nomadismo.

Mediante el uso de sistemas de riego, los agricultores podían transportar el agua de los ríos a las construcciones de almacenamiento de agua y luego a sus granjas. Esto ayudó a los agricultores a plantar más lejos de los ríos, lo que les permitió acercarse a las ciudades. Al trasladar las granjas tierra adentro, era más fácil para los habitantes de las ciudades obtener alimentos frescos. Cuanto más avanzaban los sistemas de riego, más alimentos podían producir los agricultores. Cuanto más alimentos podían producir los agricultores, más grande podía llegar a ser una ciudad[162]. Todos estos factores contribuyeron a la lenta transición de los pueblos del valle del Indo de nómadas a una civilización más sedentaria.

---

[161] Amruta, Patil. "Agriculture During Indus Valley Civilization - Ancient India History Notes"-

[162] Amruta, Patil. "Agriculture During Indus Valley Civilization - Ancient India History Notes".

El sistema de drenaje de Lothal

Abhilashdvbk. CC BY-SA 3.0 Unported, <https://creativecommons.org/licenses/by-sa/3.0>, vía Wikimedia Commons, 29 de agosto de 2012, https://commons.wikimedia.org/wiki/File:The_drainage_system_at_Lothal_2.JPG

La mayoría de los canales de irrigación eran de piedra o adobe. Los propios canales estaban hechos por el hombre, pero los constructores tenían en cuenta las fuentes naturales de agua para que funcionaran mejor. El agua podía entrar en estos sistemas de riego, ya que solían estar conectados a otras fuentes de agua. Los canales de riego estaban abiertos en la parte superior, por lo que el agua de lluvia podía entrar fácilmente en ellos[163]. Esto mantenía un suministro constante de agua en los canales, pero no garantizaba que fuera de gran calidad. El agua debía purificarse de un modo u otro antes de poder utilizarse para el consumo o la limpieza.

Los canales de riego no llevaban agua a las granjas durante todo el año. Los canales estaban más llenos durante la estación húmeda. Durante esta estación, los canales no solo retenían el agua y la llevaban a las granjas, sino que también se aseguraban de que el agua no inundara las ciudades y otras zonas. Durante la estación seca, los canales funcionaban más como un sistema de drenaje[164]. Este sistema no era

---

[163] "Ancient Irrigation System". Indus River Valley Information, n.d., https://indusrivervalleyinformation.weebly.com/ancient-irrigation-system.html.

[164] "Ancient Irrigation System".

infalible, pero funcionó lo suficientemente bien durante siglos antes de que el cambio climático hiciera que los sistemas de riego perdieran su eficacia.

Graneros

Una vez recogidas las cosechas, se almacenaban en grandes edificios llamados graneros[165]. Los graneros del valle del Indo tenían una estructura similar a los de Mesopotamia. Estos solían ser de piedra. La estructura en su conjunto se levantaba del suelo sobre una plataforma de piedra o barro endurecido. Esto dificultaba la entrada de plagas. A veces había paredes en el interior de los graneros para separar los distintos tipos de grano o como forma de tener una mejor estimación de la cantidad de grano almacenado en el granero[166]. Aunque en esta época los habitantes del valle del Indo ya sabían utilizar pesos y medidas estandarizados, como demuestran los ladrillos de barro utilizados para construir los graneros, era poco probable que los harappa hubieran podido medir con precisión grandes volúmenes de artículos.

Detalles de los muros de una zona de graneros, Harappa
Muhammad Bin Naveed, CC BY-SA 3.0 <https://creativecommons.org/licenses/by-sa/3.0>, vía Wikimedia Commons, 24 de septiembre de 2014, https://commons.wikimedia.org/wiki/File:Details_of_Walls_in_Granary_Area,_Mound_F_-_Archaeological_site_of_Harappa.jpg

---

[165] Marsh, Matthew G. "Tools of Agriculture in the Indus Civilization".

[166] Amruta, Patil. "Agriculture During Indus Valley Civilization - Ancient India History Notes".

Cuando un granero tenía paredes en su interior, el edificio se dividía en tres a seis habitaciones. Los graneros se construían dentro de la ciudad y se alineaban con el sistema cuadriculado de la misma. Algunos de los graneros más grandes se encontraban en Harappa y Mohenjo-daro. Otros más pequeños se hallaron en Lothal, Ropar y otras grandes ciudades del valle del Indo[167]. Cuanto mayor era la ciudad, mayor era el granero. Las ciudades más grandes probablemente tenían más de un granero. Las frutas, verduras y otros productos perecederos no se almacenaban en graneros. Se comían antes o se conservaban de otra forma (por ejemplo, secándolos) y se guardaban en vasijas.

Economía

Algunos de los alimentos cosechados, sobre todo los cereales, pueden haber servido para pagar impuestos o salarios, ya que los harappa no tenían moneda oficial[168]. El comercio era una parte importante de la economía, que se sustentaba, parcialmente, en la agricultura. El comercio local se basaba más en los cultivos, mientras que el comercio a larga distancia se basaba más en los animales y sus productos. Aunque los comerciantes podían ganarse la vida sin productos agrícolas con los que comerciar, no habrían sido tan productivos económicamente.

En definitiva, si una persona del valle del Indo no era comerciante o artesano, probablemente era agricultor o trabajaba en la agricultura de alguna manera. Sin la agricultura, la civilización del valle del Indo no podría haber sobrevivido tanto tiempo. Cuando la agricultura se volvió difícil debido al cambio climático, la sociedad del valle del Indo se encaminó lentamente hacia su fin.

---

[167] "The Great Granary of Indus Valley Civilization Has Been Discovered by Which Site". Unacademy. Sorting Hat Technologies Pvt Ltd, 2022.

[168] Marsh, Matthew G. "Tools of Agriculture in the Indus Civilization".

Capítulo 6: Los grandes baños de Mohenjo-Daro

Se cree que los grandes baños de Mohenjo-daro se construyeron alrededor del año 3300 a. e. c., justo alrededor del inicio oficial de la civilización del valle del Indo. Los arqueólogos descubrieron los grandes baños durante la excavación general del yacimiento a principios de la década de 1920. Se han encontrado muchos otros baños más pequeños alrededor de Mohenjo-daro y otros yacimientos de la civilización del valle del Indo. ¡Los harappa fueron una de las primeras civilizaciones en tener bañeras en sus casas![169]. Sin embargo, no utilizaban agua corriente.

En cualquier caso, se trata de una prueba sólida de que el baño y la limpieza eran muy importantes para los harappa. Por qué era tan importante, aparte de la higiene general, es la pregunta más importante.

---

[169] Britannica, T. Editors of Encyclopedia. "Great Bath". Encyclopedia Britannica, 26 de enero de 2018. https://www.britannica.com/place/Great-Bath-Mohenjo-daro.

Los grandes baños, Mohenjo-daro

Askashaliraza, CC BY-SA 4.0 International, <https://creativecommons.org/licenses/by-sa/4.0>,
vía Wikimedia Commons, 6 de agosto de 2016,
https://commons.wikimedia.org/wiki/File:Great_Bath,_Mohenjo-daro_20160806_JYN-02.jpg

Estructura y construcción

Al igual que la mayoría de los demás edificios del valle del Indo, los grandes baños de Mohenjo-daro estaban construidos en su mayor parte con ladrillos de barro. En total, los grandes baños tienen una superficie de 897 pies cuadrados. Estaban excavados en el suelo y se hallaban dos metros más abajo que los demás edificios de la ciudad[170]. En ellos cabían varias personas a la vez. Es más exacto decir que se parecía más a una gran piscina que a un baño.

Los harappa tuvieron que hacer algo para impermeabilizar los grandes baños y que pudieran contener toda el agua que necesitaba. Para ello, los ladrillos se unieron mortajándolos con yeso en lugar de barro. Para sellar las grietas se utilizó betún, una sustancia parecida al alquitrán. El fondo de los grandes baños contenía una capa de ladrillo, yeso y betún. Una esquina de la bañera tenía una salida que conectaba con un desagüe. Como los grandes baños estaban en la ciudadela (una de las elevaciones más altas de la ciudad), el agua podía drenar cuesta abajo. También hubo escaleras de madera para acceder a los grandes

---

[170] Britannica, T. Editors of Encyclopedia. "Great Bath".

baños, pero se han deteriorado[171]. Aparte de la pérdida de las escaleras de madera, los grandes baños se han conservado sorprendentemente bien.

Los harappa no disponían de agua corriente, por lo que los grandes baños tenían que llenarse manualmente. Había un pozo en una habitación cercana. El agua del pozo se utilizaba para llenar lentamente los grandes baños[172]. Sin duda, esta tarea requería mucho tiempo. Los historiadores no saben con qué frecuencia se llenaba ni cuánto tiempo permanecía el agua en los grandes baños antes de vaciarse.

Los grandes baños, Mohenjo-daro

Fuente: Nikesh Chawla. CC BY-SA 4.0 International, <https://creativecommons.org/licenses/by-sa/4.0>, vía Wikimedia Commons, 15 de septiembre de 2016, https://commons.wikimedia.org/wiki/File:Great_bath_-_Mohenjo-daro.jpg

Importancia social

En su mayor parte, los grandes baños habrían tenido probablemente la misma importancia social que los baños públicos de la antigua Grecia y Roma. Su uso era gratuito o barato, y estaba abierto al público (probablemente hombres y mujeres)[173]. A los harappa les habría resultado un poco más difícil ir a los grandes baños que a los romanos o griegos. Al fin y al cabo, solo había un recinto. Sin embargo, por todo el valle del Indo había baños similares, pero más pequeños.

---

[171] Britannica, T. Editors of Encyclopedia. "Great Bath".

[172] Britannica, T. Editors of Encyclopedia. "Great Bath".

[173] Atmaca, Dogukan. "Roman Baths as Social Congregation Places and Roman Bathing Culture". Mediterranean History & Culture by Dogukan Atmaca. 3 de julio de 2019, https://www.doatmaca.com/post/roman-baths-as-social-congregation-places-and-roman-bathing-culture.

Por otra parte, los grandes baños estaban en la ciudadela, que era la zona de Mohenjo-daro donde vivía la gente más rica. Suponiendo que todo el mundo pudiera usar los grandes baños, habría sido mucho más fácil para los miembros ricos de la sociedad llegar hasta allí que para los campesinos, que tendrían que caminar una distancia mayor.

Más que nada, bañarse en los grandes baños habría sido importante simplemente porque la limpieza era importante para los harappa. Muchas casas harappa tenían bañeras, ¡algo que no ocurriría en los países europeos durante milenios![174].

Significado religioso

Algunos historiadores creen que los grandes baños pudieron tener algún significado religioso. Debido a la grandiosidad de su construcción y a las diversas estancias que lo rodeaban, algunos historiadores creen que allí vivían sacerdotes. En cierto modo, los grandes baños podrían haber servido de lugar de entrenamiento para los sacerdotes. Si esta teoría es cierta, los sacerdotes podrían haber utilizado el agua para limpiar a una persona, tanto literal como figurativamente, de forma muy parecida al bautismo cristiano[175]. Sin embargo, los historiadores no saben por qué los harappa necesitaban una limpieza metafórica, ya que desconocen si los harappa tenían un concepto del pecado.

Recuerde que los historiadores no saben mucho sobre las creencias de los harappa. Estos pueden haber creído en un espíritu materno y paterno, similar a lo que creían los Mesopotámicos[176]. Sin embargo, no hay pruebas sólidas de que los harappa tuvieran sacerdotes. Por ello, cualquier suposición de que los grandes baños fueran utilizados por sacerdotes o por motivos religiosos es pura especulación.

Conclusión

Aunque se sabe mucho sobre la construcción de los grandes baños de Mohenjo-daro, se sabe muy poco sobre cómo se utilizaba. Lo más probable es que fuera un lugar para que la gente se reuniera, pasara tiempo junta y se bañara. Si tenía un significado religioso, los historiadores aún no saben cuál era. Este es otro misterio de la

---

[174] Britannica, T. Editors of Encyclopedia. "Great Bath".

[175] Kiprop, Joseph. "Interesting Facts about the Great Bath, the World's Oldest Public Pool". World Atlas, 10 de enero de 2019, https://www.worldatlas.com/articles/interesting-facts-about-the-great-bath-mohenjo-daro-the-world-s-oldest-public-pool.html.

[176] "Indus Valley Civilization".

civilización del valle del Indo que probablemente no se resuelva hasta que los historiadores aprendan a leer la escritura harapana.

Capítulo 7: Organización social y política

Apenas existen pruebas de edificios gubernamentales, templos u otras estructuras arquitectónicas que indiquen que la civilización del valle del Indo tenía un gobierno. ¿Significa eso que los harappa vivieron sus días sin ningún tipo de leyes o algún tipo de autoridad que defendiera esas leyes? La ausencia total de cualquier tipo de fuerza gobernante es poco probable. Sin embargo, la falta de una fuerza de gobierno centralizada es posible.

Dado que los historiadores no pueden leer la escritura del Indo, hay pocas pruebas de cómo estaba estructurado exactamente el gobierno del valle del Indo. Sin embargo, hay ciertos aspectos de la cultura y las ciudades harappa que apuntan a que el valle del Indo tenía algún tipo de gobierno.

Pruebas de un gobierno

El simple hecho de que muchas cosas en el valle del Indo estuvieran estandarizadas, desde sus ladrillos de barro hasta la forma en que estaban dispuestas las ciudades, es la mayor prueba de que el valle del Indo tenía algún tipo de gobierno o autoridad[177]. Alguien (o, más probablemente, un grupo de varias personas) habría tenido que crear las normas y reglamentos para cualquier cosa que estuviera uniformemente estandarizada. Además, alguien o un grupo de personas habrían tenido

---

[177] Elshaikh, Eman. "Indus River Valley Civilizations".

que mantener estas normas en línea durante cientos de años. ¿Cómo podría hacerse esto sin algún tipo de gobierno?

Echemos un vistazo a algunas de las cosas que se estandarizaron sistemáticamente a lo largo de los siglos. Los adobes son lo primero que viene a la mente cuando se habla de uniformidad. A lo largo de los siglos, muchos de los ladrillos tenían exactamente el mismo tamaño y peso. Había otros que no tenían exactamente el mismo tamaño y peso, pero sí la misma relación tamaño-peso[178]. Estos ladrillos mantuvieron su estandarización durante toda la existencia de la civilización del valle del Indo. Aunque es posible que el tamaño de los ladrillos no estuviera regulado por el gobierno, aun así, habría necesitado ser regulado por alguna organización.

Artefactos harappa
Nomu420, CC BY-SA 3.0 Unported, <https://creativecommons.org/licenses/by-sa/3.0>, vía Wikimedia Commons, 5 de enero de 2014, https://commons.wikimedia.org/wiki/File:Harrappan_artefacts_08.JPG

Las grandes ciudades del valle del Indo estaban más o menos organizadas de la misma manera que las demás. Algunas partes de las ciudades a menudo se nivelaban y aterrazaban para crear cambios artificiales en la elevación. Los granjeros y otras personas normales vivían probablemente en las elevaciones más bajas, mientras que la

---

[178] Tawsam. "Mohenjo-Daro".

ciudadela, otros grandes edificios y quizás los miembros más ricos de la sociedad vivían en elevaciones más altas[179]. Todos estos edificios tuvieron que ser construidos por alguien. Y como tantos edificios eran uniformes en forma y tamaño, y utilizaban los mismos materiales, es poco probable que nadie estuviera regulando a los arquitectos, incluso en los primeros años de la civilización del valle del Indo.

Tampoco hay que olvidar las intrincadas cuadrículas que se utilizaban en la mayoría de las grandes ciudades del valle del Indo. Las carreteras y los edificios estaban colocados de tal manera que las ciudades estaban llenas de ángulos rectos, lo que facilitaba los desplazamientos y la localización de los edificios. Las ciudades del valle del Indo eran similares a las manzanas organizadas de los países modernos[180]. Para planificarlas se necesitaba un equipo de expertos en arquitectura y urbanismo. Aunque no existiera un gobierno que lo regulara, habría sido necesaria una comisión de urbanismo para asegurarse de ubicar todo en el lugar adecuado.

Dado que este patrón se repitió en ciudades de todo el valle del Indo a lo largo de cientos de años, se habrían necesitado varias comisiones para atender las necesidades de cada ciudad. Esta prueba apunta a la teoría de que el valle del Indo, aunque probablemente no tuviera un gobierno centralizado, podría haber funcionado con varias sedes de gobierno más pequeñas, como ciudades-estado.

Las relaciones comerciales de los harappa con otras civilizaciones son otro indicio de que el valle del Indo tenía algún tipo de gobierno. El comercio es una actividad compleja. Aunque el comercio puede ser realizado por mercaderes individuales, los mercaderes no son los únicos implicados en el proceso comercial. Se necesita toda una organización de personas para tener relaciones comerciales exitosas con otras civilizaciones. Como mínimo, habría sido necesaria una red organizada de comerciantes y mercaderes que trabajasen juntos.

Independientemente de la civilización que comercie, de lo que comercie o incluso del año en que comercie, los pasos desde la producción hasta la venta final son más o menos los mismos. En primer lugar, hay que cultivar o recolectar los recursos necesarios para fabricar un producto. De ello pueden encargarse agricultores, mineros y otras

---

[179] Nag, Oishimaya Sen, "Dholavira: Ancient Wonder of Gujarat".

[180] Cracker, KAS. "Indus Valley Civilization - Town Planning".

personas comunes. Una vez reunida la materia prima, los artesanos fabrican los nuevos artículos. En la antigüedad, estos artículos solían ser joyas, ropa, cerámica y otros tipos de obras de arte. A continuación, los mercaderes o comerciantes empaquetaban los artículos y se preparaban para comerciar.

En aquella época, el comercio se realizaba tanto por tierra como por mar. Cuando el comercio se realizaba dentro del valle del Indo, los comerciantes probablemente viajaban por tierra o remontaban pequeños ríos. Cuando se comerciaba con otras civilizaciones, lo más probable era que se hiciera por agua, navegando por varios ríos o cruzando el mar Arábigo[181].

Dependiendo de lo que se comerciara, podía haber más pasos en el proceso comercial. Estos pasos son solo los más comunes.

Dado que apenas existen registros escritos sobre cómo funcionaban las redes comerciales en el valle del Indo, veamos cómo funcionaba el comercio mesopotámico, ya que estas dos civilizaciones comerciaban en la misma época y entre sí. Cuando se inició el comercio en Mesopotamia, se hacía localmente a pequeña escala. A medida que el comercio se fue desarrollando, los mercaderes empezaron a viajar más lejos. Hacia el 1700 a. e. c., varios grupos comerciales mesopotámicos habían establecido puestos en otras naciones, como Anatolia[182]. Los pueblos del valle del Indo habrían entrado en la era del comercio en algún momento antes del 1700 a. e. c. (muy probablemente alrededor del 1900 a. e. c.), pero a efectos de este ejemplo, la cronología comercial de estas dos civilizaciones se ajusta bastante bien[183].

Incluso en el improbable caso de que los harappa viajaran a una nueva tierra para comerciar sin la sanción o las normas de una fuerza gobernante u otra autoridad, los comerciantes habrían tenido que trabajar con el gobierno de la zona en la que comerciaban. ¿Por qué? Los comerciantes a menudo tenían que pagar impuestos al gobierno con el que comerciaban[184]. Así que, aunque los harappa no tuvieran que

---

[181] "Indus Valley Civilization".

[182] "Mesopotamia Trade: Merchants and Traders".
History on the Next, Salem Media, 2022, https://www.historyonthenet.com/mesopotamian-merchants-and-traders.

[183] B., Kanika. "Early Indus Civilization and Its Trade Relations".

[184] "Mesopotamia Trade: Merchants and Traders".

pagar impuestos en el valle del Indo (lo cual es muy improbable), habrían tenido que trabajar con los gobiernos de las civilizaciones vecinas. Todo esto habría sido mucho más fácil si el valle del Indo hubiera tenido algún tipo de gobierno o autoridad que regulara las relaciones comerciales, las normas y los impuestos.

Los historiadores no pueden afirmar con certeza si los harappa pagaban o no impuestos en el valle del Indo. Sin embargo, con tantos proyectos en las ciudades (como edificios), alguien tenía que financiarlos. Aunque en el valle del Indo no se utilizaba el dinero como hoy en día, se pagaban las cosas y se saldaban las deudas de otras formas, sobre todo a través del comercio. Un historiador indio llamado Bahata Ansumali Mukhopadhyay sugiere que algunos de los personajes del valle del Indo podrían representar términos relacionados con los impuestos[185]. Aunque la mayor parte de la información queda en manos de la especulación, muchas de las pruebas de Mukhopadhyay parecen tener sentido.

Mukhopadhyay sugiere que algunos de los símbolos del valle del Indo representan símbolos de impuestos y otros elementos. Algunos símbolos podrían representar diversos cultivos, medidas, piedras, cuentas y más. Estos símbolos se escribían en tablillas y sellos[186]. Sin embargo, aunque Mukhopadhyay puede adivinar a qué categoría pertenecen los símbolos, nadie sabe exactamente qué significan.

Mukhopadhyay y otros historiadores pueden adivinar de varias maneras la relación de estos símbolos con los impuestos. Una forma es comparándolos con textos cuneiformes, que los historiadores ya pueden leer. Los textos del valle del Indo también pueden compararse con diferentes textos mesopotámicos y persas. Aunque no existe una «piedra de Rosetta de Harappa», las tablillas grabadas están hechas de una forma y con un estilo de escritura lo bastante parecidos como para que los historiadores puedan adivinar que se trata de documentos fiscales[187]. Y

---

[185] Mukhopadhyay, Bahata A. "Ancient Tax Tokens, Trade Licenses and Metrological Records?: Making Sense of Indus Inscribed Objects Through Script-Internal, Contextual, Linguistic, and Ethnohistorial Lenses". Delivery PDF, n.d., https://papers.ssrn.com/sol3/papers.cfm?abstract_id=3189473.

[186] Mukhopadhyay, Bahata A. "Ancient Tax Tokens, Trade Licenses and Metrological Records?: Making Sense of Indus Inscribed Objects Through Script-Internal, Contextual, Linguistic, an Ethnohistorical Lenses".

[187] Mukhopadhyay, Bahata A. "Ancient Tax Tokens, Trade Licenses and Metrological Records?:

donde hay documentos fiscales, tiene que haber impuestos. Donde hay impuestos, tiene que haber alguien que los cobre. Y si hay recaudadores de impuestos, tiene que haber un gobierno o alguna otra figura o grupo de autoridad superior.

Otra señal (la última que se tratará en esta sección) de que el valle del Indo tenía un gobierno o autoridad era el uso de sellos. En los cerca de cien años que los arqueólogos llevan excavando en el valle del Indo, han encontrado miles de sellos diferentes. La mayoría de estos sellos combinan ilustraciones y escritura. Algunos tienen dibujos en ambas caras, mientras que un número menor solo tiene dibujos en una cara. Aunque los sellos están hechos de distintos materiales (oro, terracota, arcilla, marfil, piedra, etc.), suelen medir unos cinco centímetros de alto por cinco de ancho[188]. Esta estandarización es una prueba más de que alguien se encargaba de regular los sellos o de que existía una norma general sobre cómo se podían fabricar.

Sellos Harappa
Jona Lendering & Marco Prins, CC0, via Wikimedia Commons
https://commons.wikimedia.org/wiki/File:Harappa_stamp_elephant.jpg

Making Sense of Indus Inscribed Objects Through Script-Internal, Contextual, Linguistic, an Ethnohistorical Lenses".

[188] "Seals of Harappan Civilization". Byju's Exam Prep, 2022, https://byjus.com/free-ias-prep/seals-harappan-civilization/#:~:text=Thousands%20of%20seals%20have%20been,shape%20with%20a%202X2%20dimension.

Casi todos los sellos tienen la imagen de al menos un animal. La mayoría de los animales representados en los sellos son animales que los harappa habían domesticado o utilizado en el comercio. Algunos de los animales más comunes son el búfalo de agua, el rinoceronte, el elefante y el ciervo. A veces también se tallaban plantas en los sellos. La escritura se solía escribir en la parte superior[189].

¿Por qué se utilizaban estos animales? Probablemente porque eran con los que los harappa tenían más contacto. También podrían haber servido para describir el uso que se le iba a dar al sello, como el comercio.

Basándose en los registros arqueológicos, los historiadores saben que los sellos se prensaban en arcilla blanda para dejar una huella. Los historiadores también saben que los sellos se utilizaban para comerciar porque los símbolos del valle del Indo aparecieron en ruinas de yacimientos mesopotámicos y chinos. Sin embargo, los historiadores no saben exactamente cómo se utilizaban los sellos en el comercio. Es posible que los comerciantes tuvieran sellos únicos para marcar qué productos eran suyos. Se han encontrado algunos sellos con un agujero en la parte superior, que podría haber servido para atar un cordel a través de él (estos cordeles eran orgánicos y se han deteriorado). Por eso, algunos historiadores creen que un sello podía servir también como tarjeta de identificación[190].

Al final, no importa si los sellos se utilizaban para comerciar o como método de identificación. Alguien tenía que encargarse de supervisar su producción. Incluso si los sellos los fabricaba una persona (lo cual es poco probable por lo uniformes que son todos), una figura de autoridad probablemente tendría que comprobar si el diseño del sello ya estaba registrado a nombre de otra persona. Gobierno o no, lo más probable es que existiera algún tipo de burocracia en torno a estos sellos.

Hay muchas pruebas de que una persona o un grupo de personas mantenían el orden en el valle del Indo. La civilización en su conjunto es demasiado uniforme para que todas estas cosas sean simples coincidencias. Sin embargo, cuando se trata de historia, es importante ser objetivo. Exploremos las teorías de por qué el valle del Indo podría

---

[189] Menon, Arathi. "An Indus Seal". Smart History, April 22, 2020, https://smarthistory.org/indus-seal/.

[190] Menon, Arathi. "An Indus Seal".

no haber tenido un gobierno.

Pruebas de la falta de gobierno

Hay pocas pruebas que sugieran que el valle del Indo no tenía gobierno o figura(s) de autoridad, pero estas pruebas deben ser discutidas de todos modos, ya que es importante mostrar tantas escuelas de pensamiento como sea posible. El hecho de que haya menos pruebas no significa necesariamente que la civilización tuviera un gobierno.

La prueba más importante que los eruditos utilizan para sugerir que el valle del Indo no tenía gobierno es el hecho de que no hubo grandes batallas, guerras o incluso disputas con civilizaciones cercanas (hasta donde muestran los registros arqueológicos)[191]. Es casi inaudito que una civilización o país exista durante más de unos pocos cientos de años sin algún tipo de batalla, y sin embargo la civilización del valle del Indo parece haber sido capaz de durar cerca de dos mil años sin una batalla lo suficientemente grande como para dejar alguna evidencia.

Los gobiernos suelen tener luchas de poder con otras civilizaciones e incluso dentro de sí mismos. Si los harappa entraron en guerra con alguno de sus socios comerciales o naciones cercanas, alguna de las otras civilizaciones habría dejado constancia escrita de ello, siempre y cuando tuvieran un sistema de escritura. Los historiadores pueden leer la antigua escritura mesopotámica y china, que son las dos civilizaciones con las que los harappa tuvieron más contacto[192]. Lo más probable es que, si hubieran tenido que luchar con alguien, lo hubieran hecho con ellos.

Dado que no hay registros arqueológicos ni escritos de que los harappa lucharan con ninguno de estos grupos, es seguro decir que los harappa evitaban la guerra. Esto es algo que habría sido muy difícil de hacer con un gobierno que buscaba la expansión, el control o las riquezas, como hacen la mayoría de los gobiernos.

Teorías de autoridad

Los historiadores conocen los gobiernos de Mesopotamia y de otras civilizaciones vecinas del valle del Indo gracias a sus registros escritos. Sin embargo, dada la incapacidad de los historiadores para leer la escritura del Indo, saben relativamente poco sobre los códigos, las leyes y cualquier otro aspecto que suele formar parte de un gobierno. Aun así, los historiadores tienen sus conjeturas sobre cómo podría haber sido el

---

[191] "Indus Valley Civilization".

[192] "Indus Valley Civilization".

gobierno del valle del Indo. Sin embargo, los eruditos tienden a discutir, y no todas las teorías coinciden entre sí.

Una teoría afirma que el valle del Indo no tenía gobierno alguno. Como ya se ha dicho, esta teoría no tiene mucho sustento. La «prueba» de la teoría de la ausencia de gobierno es que la mayoría de las viviendas y tumbas tenían aproximadamente el mismo tamaño, forma y nivel de grandeza. Sin embargo, la teoría ignora el hecho de que alguien tendría que haberse asegurado de que todas las viviendas y tumbas tuvieran el mismo tamaño. También está el hecho de que, aunque la mayoría de las casas y tumbas tenían el mismo tamaño, no todas eran iguales. Además, algunas casas tenían cerámicas y decoraciones más ornamentadas que otras, lo que muestra una diferencia de riqueza entre los civiles, aunque no implique necesariamente una gran disparidad de riqueza[193]. Hay más agujeros en esta teoría que en cualquier otra cosa. Aun así, es importante hablar de esta teoría para mostrar todas las posibilidades.

Otra teoría sugiere que los harappa no estaban gobernados por un gobierno, sino por una clase dirigente formada por los miembros más ricos de la sociedad. Esta teoría cita las diferencias de vivienda en las ciudades. Está bien documentado que la ciudadela tenía los edificios más grandes y mejor decorados. Los edificios administrativos y los baños públicos también solían encontrarse en las ciudadelas. Los habitantes de las zonas más bajas eran en su mayoría granjeros u otros trabajadores agrícolas[194]. Aunque este tipo de organización de la ciudad no apunta necesariamente a la segregación de clases, podría insinuarlo. En las civilizaciones de todos los tiempos y lugares, los miembros ricos de la sociedad han podido permitirse lo mejor para sí mismos y hacer la vida más agradable para ellos, sus familias y sus amigos. Con suficiente dinero, poder e influencia, estos miembros ricos de la sociedad muy bien podrían haber sido capaces de funcionar como un gobierno, incluso si no eran un gobierno «real» de nombre.

¿Cómo podían enriquecerse los miembros de la sociedad si la civilización del valle del Indo no utilizaba dinero? Recuerde, el comercio era una parte integral de la sociedad Harappa. Mientras que una persona en la antigua civilización del valle del Indo no podía ir al mercado y pagar a alguien cinco dólares por una libra de carne de vacuno, podía ir al mercado y cambiar a alguien una libra de grano por una libra de carne

---

[193] "Indus Valley Civilization".

[194] "Indus Valley Civilization".

de vacuno. Utilizando esta noción básica del comercio, aunque una persona rica en el valle del Indo no estaría repleta de monedas de oro, podía poseer muchos recursos. En un mundo de comercio, el grano era oro. Quien poseía todo el grano dictaba las reglas.

A continuación, llegamos a la teoría del rey-sacerdote, también conocida como oligarquía religiosa o teoría del gobierno teocrático[195]. Como queda claro por sus nombres, esta teoría gira en torno a la idea de que el gobierno del valle del Indo estaba regido por figuras religiosas, muy probablemente sacerdotes. Esta teoría es un poco difícil de entender y de aplicar, porque los historiadores no están seguros de qué religión seguían los harappa, suponiendo que siguieran alguna. Por supuesto, si no tenían una religión estatal, esta teoría quedaría descartada.

Los defensores de esta teoría asumen que los harappa tenían una religión estructurada y que la religión era un asunto estatal. Teniendo esto en cuenta, veamos más de cerca lo que sugiere esta teoría.

La teoría de la teocracia (que no es el nombre oficial, sino como se denominará la teoría a partir de este punto) se basa, en parte, en algunos aspectos de la vida en Mesopotamia durante el mismo período de tiempo. Los historiadores saben que los mesopotámicos eran religiosos. Parte de las tradiciones religiosas de los mesopotámicos incluían la construcción de grandes montículos[196]. Muchas ciudades del valle del Indo se asentaban sobre montículos artificiales.

¿Es posible que los montículos del valle del Indo tuvieran fines religiosos? Aunque es posible, es más probable que los montículos se utilizaran con fines arquitectónicos. En cualquier caso, muchos historiadores relacionan los montículos con la religión y vinculan la religión con una posible teocracia.

En la teoría de la teocracia, los reyes-sacerdotes habrían sido líderes religiosos muy venerados. El término «rey» se utiliza para describir su poder, no su herencia, como en la concepción moderna de la monarquía. Cada rey-sacerdote estaría a cargo de una región y no de todo el valle del Indo. Probablemente habría un grupo de sacerdotes

---

[195] Subrahmanyam, S., Thapar, Romila, Spear, T.G., Percival, Calkins, Philip B., Wolpert, Stanley, A., Srivastava, A.L., Schwartzberg, Joseph E., Champakalashmi, R., Allicin, Frank Raymond, Dikshit, K.R., and Alam, Muzaffar. "India". Encyclopedia Britannica, 13 de julio de 2022, https://www.britannica.com/place/India

[196] Subrahmanyam, S., et. all. "India".

que trabajarían juntos para mantener todas las regiones funcionando efectivamente como una sola[197].

Por supuesto, los historiadores no saben mucho acerca de las religiones del valle del Indo, por lo que las leyes que surgieron de esta estructura son todas teóricas. Sin embargo, esto se relaciona con la teoría del modelo de ciudad-estado, que es la teoría más popular y más plausible de cómo los pueblos del valle del Indo dirigían su civilización.

El ejemplo más cercano que tienen los historiadores de una ciudad-estado cerca del valle del Indo (tanto geográfica como cronológicamente) fue Sumeria, en Mesopotamia. En estas ciudades-estado sumerias, un gobernante, similar a un rey, gobernaba una ciudad específica y sus alrededores[198]. Por ejemplo, pudo haber diferentes gobernantes para Mohenjo-daro, Harappa y otras grandes ciudades. Otros gobernantes podrían haber vigilado zonas menos pobladas mientras controlaban una mayor extensión de tierra o viceversa.

Para mantener una civilización continua, estos gobernantes tendrían que trabajar juntos. Esta es la única manera de que tantas cosas pudieran mantenerse estandarizadas en diferentes zonas del valle del Indo. Los dirigentes de las ciudades-estado podían haber sido elegidos, ser los miembros más ricos de la sociedad, ser sacerdotes o reyes en el sentido tradicional. En definitiva, nadie sabe realmente cómo estructuraron su gobierno los harappa. Es una característica más del valle del Indo que seguirá siendo un misterio hasta que los historiadores aprendan a leer la escritura del Indo.

Libertad religiosa

Aunque los historiadores no saben en qué creían exactamente los harappa, pueden especular con que los habitantes del valle del Indo tenían libertad religiosa. Las escasas pruebas que los arqueólogos han encontrado sugieren que los harappa eran politeístas y creían en más de un dios o diosa. Los historiadores no saben cómo rendían culto, pero creían que la meditación, la fabricación de efigies y los sacrificios de animales formaban parte de su religión[199]. Con tantos dioses a los que

---

[197] Subrahmanyam, S., et. all. "India".

[198] "Mesopotamia Sumerian City-States". History's Histories, n.d., https://www.historyshistories.com/mesopotamia-sumerian-city-states.html

[199] V., Jayaram. "The Religion of the Indus Valley Civilization". Hinduwebsite.com, 2019, https://www.hinduwebsite.com/history/indus.asp

adorar, es poco probable que hubiera una autoridad encargada de garantizar que la gente adorara a determinados dioses o que adorara a los dioses en absoluto.

Figura femenina, posiblemente una diosa de la fertilidad, fase Harappa, c. 2500-1900 a. e. c.
Daderot. CC0, vía Wikimedia Commons, 28 de diciembre de 2011,
https://commons.wikimedia.org/wiki/File:Female_figure,_possibly_a_fertility_goddess,_Indus_V
alley_Tradition,_Harappanos_Phase,_c._2500-1900_BC_-_Royal_Ontario_Museum_-
DSC09701.JPG

Vida familiar

Los primeros asentamientos en el valle del Indo y en la mayoría de las civilizaciones primitivas del mundo fueron iniciados por unas pocas familias pequeñas que trabajaban juntas para crear una comunidad. En los primeros asentamientos (antes de las ciudades), las casas pequeñas se agrupaban. Las casas se extendían alrededor de la primera en forma de diana o círculo. Con el tiempo, estas comunidades fueron creciendo y desarrollándose. Las casas antiguas solían reconstruirse con estilos más «modernos»[200]. Con comunidades tan unidas, las familias tenían que ser

---

[200] Chase, Brad. "Family Matters in Harappan Gujarat". Academia, 2018,

importantes. Sin embargo, los historiadores no saben si las familias se organizaban de forma nuclear o de otro modo; cuanto más temprano se mire en la historia, más difícil será responder a esta pregunta.

Las familias que vivían en zonas similares (grupos de baja altitud a grupos de ciudadela) habrían poseído objetos similares. Los arqueólogos han encontrado cerámica y otros artefactos de calidad similar que lo demuestran[201]. Sabiendo esto, no es descabellado extrapolar que las personas que vivían en zonas similares tendrían un nivel social similar y estructurarían sus familias de forma parecida. Las personas que vivían en zonas similares probablemente tenían trabajos similares. Es posible que los miembros más mayores de la familia enseñaran su oficio a los más jóvenes. Los agricultores criarían a los agricultores, los artesanos a los artesanos, los comerciantes a los comerciantes, etc.

Un profesor de antropología del Albion College, Brad Chase, sugiere que las relaciones familiares en relación con el comercio pueden haber sido una parte importante de la vida cotidiana. El comercio se realizaba a veces en grandes extensiones de tierra. Sin el uso de coches y otros vehículos modernos, se podía tardar semanas en llegar al destino final. Los comerciantes necesitaban un lugar donde quedarse cuando se detenían. Alojarse con familiares era una de las soluciones más seguras. «Familia» no siempre implicaría una relación sanguínea, pero se acercaría al concepto de amigos íntimos de la familia[202]. En cualquier caso, las relaciones cercanas y familiares mejoraban enormemente las posibilidades de que el comercio se llevara a cabo con éxito y seguridad. Sin embargo, este sistema no sería necesario para que el comercio funcionara. Además, no hay pruebas de que este sistema existiera; es solo una teoría.

Chase continúa sugiriendo que las familias biológicas vivían juntas la mayor parte del tiempo. Estas familias podían estar formadas solo por padres e hijos o incluir a abuelos, cuñados y otros miembros. Los matrimonios, o algo parecido, tenían lugar entre adultos.

¿Quién se encargaba de dirigir el hogar? En los hogares multigeneracionales, es probable que los miembros de más edad de la familia tuvieran más peso que la generación más joven. Probablemente,

https://www.academia.edu/37391121

[201] Chase, Brad. "Family Matters in Harappan Gujarat".

[202] Chase, Brad. "Family Matters in Harappan Gujarat".

los adultos cuidaban de los ancianos, y a los niños se les enseñaba a obedecer a sus padres. Los hombres o las mujeres podían estar «a cargo» del hogar, o podían tener el mismo poder y trabajar juntos[203]. Los historiadores desconocen cómo funcionaban los roles de género en el valle del Indo, suponiendo que los harappa los utilizaran. Al igual que en el mundo actual, cada familia era probablemente un poco diferente. La jerarquía en cada hogar podía variar en función de las relaciones entre las personas de cada casa, por no mencionar otros innumerables factores.

Tras el matrimonio, uno de los miembros de la pareja se trasladaba a vivir con la familia de su cónyuge o se mudaba para vivir más cerca de la familia de su cónyuge. No está claro si el nuevo marido o la nueva mujer tendrían más probabilidades de mudarse. Es posible que se exigiera una dote para casarse. Es posible que los harappa impusieran ciertas restricciones al matrimonio, como no permitir que se casaran primos u otros parientes[204]. Incluso si los harappa no comprendían los problemas genéticos derivados de la endogamia, es posible que tuvieran un tabú contra ella. La mayoría de las culturas tienen tabúes contra el matrimonio entre parientes, pero el grado en que es aceptable (por ejemplo, si está bien casarse con primos segundos) depende del grupo cultural específico.

Las expectativas matrimoniales podían ser diferentes según el lugar (en el tiempo y en el espacio) en que se encontrara una pareja en el valle del Indo. En general, los solteros de los pueblos más pequeños tenían menos opciones que los que vivían en las ciudades. Esto podría haber creado más competencia. En ambos casos, esto hace que la dote sea aún más importante. Cada persona tenía que demostrar a la familia de la otra lo que podía aportar al matrimonio. Al final, ganaba la familia más rica. Sin embargo, en familias muy unidas, los recursos podían compartirse abiertamente entre ambas partes de la familia[205]. Una vez más, la dinámica exacta del matrimonio, la dote y la familia se vería afectada por más factores de los que nadie puede contar.

Cuando se analizan las antiguas relaciones del valle del Indo, siempre es importante evitar mirarlas desde el punto de vista europeo. Gran

---

[203] Chase, Brad. "Family Matters in Harappan Gujarat".

[204] Chase, Brad. "Family Matters in Harappan Gujarat".

[205] Chase, Brad. "Family Matters in Harappan Gujarat".

parte de la forma en que se ha contado la historia de la India se ha filtrado a través de la lente del colonialismo. Esto cambia drásticamente la historia de cualquier pueblo colonizado. Un ejemplo de ello sería suponer que las mujeres del valle del Indo eran consideradas «inferiores», como en los primeros tiempos de Europa, donde los hombres dominaban el hogar, la política, etcétera. Aunque esto podría haber sido cierto en el valle del Indo, los historiadores no pueden asegurarlo. Hasta que no se sepa más, es mejor no suponer nada. Esta nota es necesaria, ya que la mayoría de los occidentales conocen mejor la vida europea que la asiática y la de Oriente Medio, y pueden utilizar sus propios prejuicios al estudiar estas culturas.

Entretenimiento

¿Qué les gustaba hacer a los harappa para divertirse? Aunque los harappa pasaban mucho tiempo trabajando, tenían tiempo de sobra para participar en actividades de ocio. Al igual que otras civilizaciones de la época, el valle del Indo estaba lleno de juguetes, juegos e incluso instrumentos musicales.

La mayoría de los juguetes infantiles hallados en los yacimientos del valle del Indo (la mayoría de los artefactos proceden de Mohenjo-daro) eran de arcilla. Las figuras de animales eran los juguetes más populares, seguidos de rompecabezas y juegos. Sorprendentemente, algunos de estos juguetes tenían partes móviles. Los juguetes de animales eran algunos de los más complicados y, a veces, se fabricaban con una mecánica sencilla que les permitía moverse por sí solos, como los coches de juguete actuales, que se tiran hacia atrás y luego salen disparados hacia delante por sí solos.

Junto con los juguetes de animales, solía haber carros de juguete y otros juguetes de base agrícola que podían utilizarse junto a ellos[206]. Básicamente, se podía tener todo un conjunto de juguetes agrícolas. Con lo importante que era la agricultura en el valle del Indo, no es de extrañar que los elementos agrícolas llegaran a las manos de los niños como juguetes.

---

[206] Pathania, Shivam. "Toys of Indus Valley Civilization". Amar Chitra Katha Media, 25 de junio de 2021, https://www.amarchitrakatha.com/history_details/toys-of-indus-valley-civilization/#:~:text=Animal%20figurines%2C%20utensil%20sets%2C%20puzzle,other%20visuals%2C%20was%20the%20bull.

Juguetes de terracota, 3200-1500 a. e. c.

Los juegos eran una forma favorita de entretenimiento tanto para niños como para adultos. Los historiadores conjeturan que algunos juegos fueron hechos especialmente para niños, ya que parecen más fáciles de jugar que algunos de los otros juegos encontrados en varias ruinas del valle del Indo. Los laberintos y los trompos eran algunos juegos populares. También solían estar hechos de arcilla. Es posible que los laberintos tuvieran pelotas en algún momento, y que el objetivo del juego fuera llevar la pelota de un extremo a otro del laberinto. Sin embargo, durante las excavaciones no se las encontraron[207]. Tanto los trompos como los laberintos de bolas siguen siendo juguetes populares entre los niños de hoy en día. ¡Es una locura pensar que los niños llevan miles de años disfrutando del mismo tipo de juegos!

Los juegos para adultos eran probablemente un poco más complicados que los simples laberintos. Los arqueólogos han

---

[207] Pathania, Shivam. "Toys of Indus Valley Civilization".

encontrado dados de seis caras en varias ruinas del valle del Indo. Aunque los historiadores no saben para qué juegos se utilizaban los dados, pueden suponer que eran un componente de juego popular, ya que se encontraron por todo el valle del Indo[208]. Es muy posible que los harappa jugaran a juegos similares a los que jugamos hoy en día. Los dados también podrían haber servido para apostar.

Un historiador y músico se ha esforzado mucho por descubrir los antiguos instrumentos harappa y cómo tocarlos. Shail Vyas ha descubierto cómo tocar diversos instrumentos del valle del Indo. Uno de ellos es una colección de cuencos de metal con hendiduras. Cuando se los da la vuelta, pueden golpearse como tambores para tocar música. La música india moderna utiliza un instrumento parecido, pero de arcilla[209]. Debido a la diferencia de materiales, estos instrumentos se tocaban de la misma manera, pero sonaban distinto.

Los instrumentos de cuerda también eran una parte importante de la cultura del valle del Indo. Algunos instrumentos de cuerda tenían hasta diez cuerdas y eran similares a un arpa actual. Shail cree que ha aprendido a tocar este instrumento. Con tiempo y financiación, espera poder recrear la música que se tocaba en el valle del Indo[210]. Aunque es poco probable que esta música sea exactamente igual a las canciones que se tocaban en el valle del Indo, el tono general y el sentimiento de la música deberían ser similares.

Los niños tenían su propia versión de los instrumentos musicales. Eran sorprendentemente comunes a los juguetes musicales que tienen los niños hoy en día. Algunos de estos juguetes eran sonajeros y silbatos. Los sonajeros eran parecidos a los actuales sonajeros para bebés o maracas. Los silbatos solían tener forma de animales, sobre todo de pájaros[211]. Siempre es fascinante ver que, por mucho que los humanos crean que han cambiado con el tiempo, hay muchas cosas en la cultura humana que siempre han sido y pueden ser las mismas.

---

[208] Pathania, Shivam. "Toys of Indus Valley Civilization".

[209] Tiwari, Soumya V. "Music to the Years: Musical Instruments from the Indus Valley Civilization". Hindustan Times, 16 de agosto de 2016, https://www.hindustantimes.com/music/music-to-the-years-musical-instruments-from-the-indus-valley-civilisation/story-WuViIqOST8WMNCSkkayuuN.html

[210] Tiwari, Soumya V. "Music to the Years: Musical Instruments from the Indus Valley Civilization".

[211] Pathania, Shivam. "Toys of Indus Valley Civilization".

Una de las obras de arte más cautivadoras que aluden al amor por la música de la civilización del valle del Indo es la estatua en miniatura llamada la *Bailarina*. Fue hallada en las ruinas de Mohenjo-daro y se especula que fue realizada hacia el 2500 a. e. c. La estatuilla tiene una pose relajada que hace que parezca que está bailando con una mano en la cadera. Podría estar sosteniendo un pequeño cuenco o tambor. Su atuendo, o la falta de él, es un signo importante de la época. Parece estar desnuda, salvo por algunas joyas. También lleva el pelo recogido[212]. Esta estatuilla no solo muestra la importancia de la música, sino también cómo vestían las mujeres. Sin embargo, los historiadores no saben si la gente del valle del Indo se paseaba desnuda a menudo o solo para acontecimientos especiales.

Bailarina hallada en Mohenjo-daro
Gary Todd, CC0, vía Wikimedia Commons, 21 de abril de 2019,
https://commons.wikimedia.org/wiki/File:Dancing_girl_of_Mohenjo-daro.jpg

---

[212] "Dancing Girl (Mohenjo-Daro) from the Indus Valley Civilization". Joy of Museums Virtual Tours, 2022, https://joyofmuseums.com/museums/asia-museums/india-museums/national-museum-new-delhi/dancing-girl-mohenjo-daro/.

Conclusión

Los habitantes del valle del Indo vivían vidas que pueden compararse fácilmente con otras culturas de alrededor del mismo período de tiempo, así como con las culturas actuales. Es interesante ver qué objetos eran comunes en todos los hogares del Indo y cuáles se encontraban sobre todo en las ciudadelas. Observando los artefactos, los arqueólogos pueden aprender más sobre la vida en una civilización antigua. Pero hasta que los historiadores aprendan a leer la escritura del Indo, el estudio de los artefactos es la mejor manera de descubrir más cosas sobre la cultura Harappa.

Tercera parte:
Artes, artesanías e ideologías
harappa

Capítulo 8: Arte y artesanía

Los habitantes del valle del Indo eran expertos artesanos cuyo legado perdura hasta nuestros días. Hasta ahora, hemos hablado de algunas de las principales obras arquitectónicas y de estatuas famosas, como la *Bailarina*. Ahora es el momento de examinar más detenidamente cómo se crearon algunas de las formas artísticas más comunes, cuáles eran sus propósitos y qué tipo de personas podrían haberlas utilizado.

Joyas

En todas las ruinas harappa se han encontrado joyas, abalorios y fragmentos de otras prendas ornamentales, lo que demuestra lo popular que era llevar joyas. Los historiadores no saben si las joyas eran usadas tradicionalmente por hombres, mujeres o ambos sexos. Veamos algunos de los tipos de joyas más populares y los distintos métodos y materiales que se utilizaban para crearlas.

Las pulseras eran unas de las piezas de joyería más utilizadas. Se fabricaban con todo tipo de materiales, como terracota, arcilla, cobre y bronce. Los brazaletes de terracota y arcilla se endurecían y cubrían con laca. Aunque gran parte de la laca se ha desgastado, los historiadores creen que los brazaletes de terracota y arcilla solían decorarse con pinturas rojas y negras[213]. Dependiendo de su grosor, podían tener diseños intrincados. Es menos probable que las pulseras de metal estuvieran pintadas.

---

[213] "Jewellery". Sindhishaan, 2012, https://www.sindhishaan.com/gallery/jewellery.html.

Las pulseras de barro y terracota se moldeaban a mano o con pequeñas herramientas. Esto es fácil de ver en los brazaletes enteros (intactos), ya que no forman círculos perfectos. Aparte de las elecciones estilísticas, esto también explica por qué los brazaletes tienen formas y tamaños tan diferentes. Es posible que sean una de las pocas cosas del valle del Indo que no estaban estandarizadas.

En cambio, las pulseras de metal debían fabricarse con herramientas, ya que el metal estaba demasiado caliente para manipularlo a mano. En su lugar, el metal se calentaba y se golpeaba con un martillo para darle forma circular[214]. Los brazaletes de metal parecen más elaborados que los de terracota. Quizá se deba a que requerían un trabajo más especializado para estar bien hechas. También es posible que fueran más caras, lo que podría suponer un mayor control de calidad.

En el valle del Indo también se llevaban collares. Solían estar hechos de metales finos o cuentas de collar. Estas cuentas podían ser de todo tipo, desde arcilla hasta oro. Algunas de las cuentas más indicativas de la artesanía Harappa están hechas de cornalina, cobre, jaspe, esteatita, lizardita y grosularia[215]. Con estos materiales, los colores más comunes para la joyería parecen haber sido el rojo, el naranja, el marrón y el verde. Las cuentas de terracota o arcilla también pueden haber sido pintadas para mostrar otros colores.

Los materiales para estas cuentas podían proceder del valle del Indo, extraerse de las minas de los alrededores (sobre todo en el norte de la India actual) u obtenerse a través del comercio con otras naciones[216]. Independientemente de la procedencia de los materiales, las cuentas tenían diferentes formas, tamaños y diseños.

Aunque los harappa no inventaron el concepto de esmaltar las joyas, sí desarrollaron un nuevo tipo de brillo que les daba un resplandor y un brillo excepcionales. Este brillo, también llamado fayenza, se presentaba en una gran variedad de colores, pero sobre todo en tonos rojos, verdes y azules[217]. Puede que fueran los colores más fáciles de fabricar, o puede que fueran los que los harappa consideraban más bellos.

---

[214] "Jewellery".

[215] "Jewellery".

[216] "Jewellery".

[217] "Jewellery".

Curiosamente, las joyas casi nunca se enterraban con los muertos. Esto incluye tanto los cuerpos que llevaban joyas como las joyas colocadas en las tumbas con los cuerpos[218]. Las joyas no se habrían descompuesto con el tiempo, como el resto de la ropa de los harappa. En lugar de ser enterradas con las personas, las joyas probablemente se pasaban a otros miembros de la familia o se vendían. Se trata de una sorprendente yuxtaposición con la civilización egipcia, que estaba en pleno apogeo al mismo tiempo que la civilización del valle del Indo. Los egipcios solían enterrar joyas y otros objetos con sus muertos, ya que pensaban que estos podrían utilizarlos en la otra vida[219]. La falta de joyas en las tumbas harappa puede indicar que los harappa no tenían un concepto de la vida después de la muerte o que pensaban que no podrían llevarse objetos de este mundo al otro.

Cerámica

La cerámica harappa es famosa en todo el mundo por su forma, estilo y vidriado. Crear cerámica era una habilidad venerada y un trabajo importante para los artesanos. Como en cualquier otra parte del mundo, la cerámica del valle del Indo se utilizaba para almacenar de todo, desde alimentos hasta flores. En esta sección, «cerámica» se refiere a cualquier cuenco u objeto en forma de jarrón hecho de arcilla.

Toda la cerámica harappa se fabricaba con arcilla, que se obtenía localmente en el valle del Indo. Esta arcilla era de buena calidad y fácilmente moldeable. La cerámica podía fabricarse de varias maneras. El método que utilizaban los artesanos dependía de su nivel de habilidad. Algunos ejemplos de técnicas de alfarería son el modelado de la arcilla a mano, el uso de moldes y la utilización de un torno. Cuando la arcilla tenía la forma perfecta, se cocía en un horno para endurecerla. Después, se esmaltaba con un brillo transparente o coloreado[220]. Es posible que la cerámica utilizara el mismo brillo que la joyería. Sin

---

[218] "Jewellery".

[219] Glencairn Museum News. "Sacred Adornment: Jewelry as Belief in Ancient Egypt". Glencairn Museum, 2 de noviembre de 2020, https://www.glencairnmuseum.org/newsletter/2020/3/6/sacred-adornment-jewelry-as-belief-in-ancient-egypt.

[220] Chhatrapati Shivaji Maharaj Bastu Sangrahalaya. "Harappan Miniature Pottery". Indian Culture, n.d., https://indianculture.gov.in/artefacts-museums/harappan-miniature-pottery#:~:text=Harappan%20pottery%20was%20made%20of,basin%2C%20casket%20and%20so%20on.

embargo, las joyas no se fabricaban con torno.

Al igual que las joyas de arcilla y terracota, la cerámica solía pintarse de rojo, negro, azul, blanco y verde, siendo el rojo, el blanco y el negro los colores más populares[221]. Los colores también podían colorearse con brillo tintado.

La cerámica de diferentes regiones a veces tenía diseños pintados únicos. La región de las llanuras del Ghaggar, en el valle del Indo (actual Rajastán), y otros muchos yacimientos han sido objeto de numerosas excavaciones que han revelado grandes depósitos de cerámica. Los arqueólogos pueden utilizar los diseños de la cerámica para adivinar cuándo se fabricó. Esto no permite a los arqueólogos saber el año exacto en que se fabricó una pieza de cerámica, sino en qué fase (temprana, madura, etc.) se hizo. Cuanto más intrincados son los dibujos, más reciente es la fecha de fabricación[222]. Curiosamente, parece que cuanto más pequeña era la cerámica, más complejas eran las pinturas. Las piezas de cerámica más grandes solían tener diseños menos detallados y pinceladas más anchas.

Además de utilizar los estilos pictóricos para determinar cuándo se fabricó la cerámica, los historiadores también pueden datarla por radiocarbono. La cerámica puede estudiarse asimismo a nivel microscópico. Mediante el uso de datos microscópicos, los científicos pueden determinar de dónde procedía la arcilla utilizada para fabricar la cerámica[223]. La mayor parte de la arcilla se habría obtenido en el valle del Indo, ya que habría sido más fácil y menos costoso que importarla.

Algunas de las cerámicas encontradas son muy pequeñas. Podrían haber servido para guardar objetos pequeños, como medicinas o especias. Sin embargo, algunos historiadores creen que se utilizaban como juguetes para niños[224]. Hoy en día, los niños tienen platos y comida

---

[221] Bhagat, Sonya. "A Study of the Harappan Pottery Tradition in Saurashtra (With Special Reference to Padri and Tarasara, Shavnagdar District, Gujarat)". *Bulletin of the Deccan College Research Institute* 64/65 (2004): 359–64. https://www.jstor.org/stable/42930666

[222] Dangi, Vivek and Uesugi, Aninori. "A Study on Harappan Painted Pottery from the Ghaggar Plains". The Journal of the Indian Archaeological Society, No. 43, 2013, https://www.academia.edu/9718951/A_Study_on_the_Harappan_Painted_Pottery_from_the_Gh aggar_Plains

[223] Bhagat, Sonya. "A Study of the Harappan Pottery Tradition in Saurashtra" (With Special Reference to Padri and Tarasara, Shavnagdar District, Gujarat).

[224] Chhatrapati Shivaji Maharaj Bastu Sangrahalaya. "Harappan Miniature Pottery".

de juguete, así que tiene sentido que los niños harappa tuvieran sus propios juegos de cocina. Parece que el juego no ha cambiado mucho en los últimos miles de años.

Miniaturas de animales

La agricultura era una parte importante de la vida en el valle del Indo, por lo que no es de extrañar que muchas de sus artesanías tengan forma de animales o lleven animales pintados o tallados. Se han encontrado pequeñas figuras de animales por todo el valle del Indo. Esto implica que eran baratas y fáciles de fabricar, por lo que eran habituales en los hogares.

Las figuras de animales podían estar hechas de todo tipo de materiales. La mayoría eran de arcilla o terracota. Algunas utilizaban arena, conchas molidas o materiales orgánicos para mantener la figura unida. La palabra «miniatura» no es una exageración: ¡algunas medían solo seis centímetros de alto! Algunas de las esculturas más grandes solo alcanzaban unos treinta centímetros de altura. Cuanto más tardías eran las esculturas, más detalladas solían ser[225]. Es mejor imaginarlas como pequeñas chucherías que alguien podría exhibir en su casa hoy en día.

La mayoría de los animales eran modelos de animales de granja. Alrededor del 75% de las figuras de animales halladas en las ruinas harappa son reses o búfalos. Otros animales comunes son perros, gatos, ovejas, elefantes, ciervos y monos. La mayoría de las veces, los animales tienen cuatro patas. Algunas esculturas de animales tenían equipos de granja a juego, como arados, ruedas o jaulas[226]. Esto demuestra el tipo de animales que veían y con los que trabajaban los habitantes del valle del Indo. También sugiere que los harappa tenían perros y gatos como mascotas.

Sin embargo, no todas las esculturas de animales se asemejaban a animales reales. Algunas se parecían a criaturas míticas que aún hoy se conocen, como los unicornios. Otras figuras de animales tienen atributos humanos, como barbas. Algunos historiadores sugieren que este tipo de figuras podían utilizarse con fines rituales o como amuletos[227]. Sin embargo, no está claro en qué tipo de ritual se habrían utilizado o cómo

---

[225] EIA Editors. "Indus Valley Terracotta Animal Figurines". Map Academy, n.d., https://mapacademy.io/article/indus-valley-terracotta-animal-figurines/.

[226] EIA Editors. "Indus Valley Terracotta Animal Figurines".

[227] EIA Editors. "Indus Valley Terracotta Animal Figurines".

se habrían utilizado en el ritual.

Aunque muchas figuras de animales se utilizaban probablemente como decoración, algunas también eran juguetes. Algunos de los juguetes de animales más comunes eran vacas y otro ganado. La mayoría de las esculturas de juguete estaban hechas de arcilla, pero también de madera, cuerda u otros materiales que desde entonces se han biodegradado[228]. Estos juguetes eran creaciones íntimas, ya que se hacían a mano y no con un torno. Podían pintarse o conservarse lisos.

Un juguete de Mohenjo-daro
https://en.wikipedia.org/wiki/File:Mohenjodaro_toy_001.jpg

Esculturas

Los harappa eran expertos escultores. Sin embargo, solo se conservan unas pocas esculturas de gran tamaño. No está claro si los habitantes del valle del Indo no crearon muchas esculturas de gran tamaño o si fueron destruidas con el tiempo. Lo que sí saben los historiadores es que los harappa utilizaron una gran variedad de materiales para hacerlas.

La piedra era uno de los materiales escultóricos más comunes. La arenisca era especialmente común. Comparada con otras piedras, la arenisca es relativamente blanda y fácil de trabajar. En el actual Pakistán hay grandes yacimientos de arenisca, por lo que es lógico pensar que

---

[228] "Indus Valley Wheeled Ram Toy". in World History Commons, n.d.,
https://worldhistorycommons.org/indus-valley-wheeled-ram-toy

siempre estuvo ahí. La arenisca era de varios colores: roja, naranja, amarilla, marrón, rosa y gris[229]. Los harappa la aprovecharon para crear obras llenas de color.

Uno de los ejemplos mejor conservados que tienen los arqueólogos del trabajo en arenisca de los harappa es la escultura del «Torso masculino». Esta obra de arte es exactamente lo que parece. Se elaboró con una arenisca de color púrpura rojizo. El torso muestra poco desgaste. Sin embargo, presenta surcos y grietas cerca de las axilas y en la parte inferior del cuello. Esto sugiere que la escultura pudo tener cabeza y brazos en algún momento[230]. Sin embargo, si la escultura llegó a tener cabeza o extremidades, nunca se han encontrado.

Torso masculino harappa (valle del Indo)
Gary Todd, CC0, vía Wikimedia Commons, 12 de noviembre de 2015,
https://commons.wikimedia.org/wiki/File:Harappan_Male_torso_(Indus_Valley).jpg

---

[229] Siddiqui, Muhammah H. "Assignment on Sandstone Reservoir in Pakistan". Department of Earth and Environmental Sciences. Bahria University, 5 de noviembre de 2015, https://www.academia.edu/18491035/Sandstone_Resorvior_in_Pakistan.

[230] "Sculpture in the Indus Valley". GK Today, 17 de diciembre de 2013, https://www.gktoday.in/sculpture-in-indus-valley-civilization/#:~:text=Terracotta%20Sculptures,-The%20terracotta%20figurines&text=The%20terracotta%20figurines%20of%20Indus,the%20female%20were%20more%20common

Los harappa también eran aficionados a la esteatita. A menudo utilizaban este material para fabricar sus abalorios y otros artículos decorativos. Una de las esculturas harappa más famosas de todos los tiempos, el *Rey-Sacerdote*, está hecha de esteatita[231]. Otras esculturas y figurillas más pequeñas también se fabricaban con este material.

La terracota también era popular. Por definición, la terracota es cualquier tipo de arcilla que ha sido cocida para endurecerse. Muchas culturas antiguas hacían esculturas de terracota porque la arcilla era fácil de poner en moldes o moldear a mano[232]. La calidad del producto final podía variar mucho de una escultura a otra; dependía casi por completo de la habilidad del artesano que la realizaba. Una de las esculturas de terracota harappa más famosas es la «Diosa Madre», hallada en Mohenjo-daro.

Escultura de la Diosa Madre
Fuente: Quratulain, CC BY-SA 3.0 <https://creativecommons.org/licenses/by-sa/3.0>, vía Wikimedia Commons, 16 de noviembre de 2013, https://commons.wikimedia.org/wiki/File:Picture_of_original_Godess.jpg

---

[231] "Sculpture in the Indus Valley".

[232] "Sculpture in the Indus Valley".

Quizás las esculturas harappa más impresionantes estaban hechas de bronce. Parte de lo que hace que el trabajo de los harappa sea tan importante es que la Edad de Bronce no comenzó hasta alrededor del año 3000 a. e. c., justo en la misma época en que comenzaba la civilización del valle del Indo[233]. Esto significa que los harappa fueron una de las primeras culturas en utilizar el bronce en el arte y otras artesanías.

Para hacer esculturas de bronce, el artesano primero tenía que hacer un molde, que normalmente era de arcilla. Los harappa utilizaban esta técnica para hacer sus esculturas, pero también empleaban la técnica de la cera perdida. Esta técnica consistía en utilizar cera de abeja para fabricar cuerdas de cera en forma de alambre. Con estos hilos se podían hacer formas más detalladas y estructuradas que con la arcilla sola. A continuación, se moldeaba arcilla, estiércol o arena sobre los alambres. Una vez hecho esto, se creaba un molde sólido capaz de soportar el calor del bronce fundido[234]. Las esculturas de bronce más populares son la *Bailarina* y el *Toro de Bronce*.

Conclusión

No cabe duda de que los harappa eran maestros en sus oficios. A medida que se sigan excavando los yacimientos del valle del Indo, seguro que se descubrirán más piezas de arte. Es probable que las nuevas piezas de arte que se encuentren sean similares a las analizadas en este capítulo.

---

[233] Britannica, T. Editors of Encyclopedia. "Bronze Age". Encyclopedia Britannica, 13 de mayo de 2022. https://www.britannica.com/event/Bronze-Age.

[234] "Sculpture in the Indus Valley".

Capítulo 9: Estructura religiosa, iconografía y prácticas funerarias

Los harappa son un misterio en cuanto a su vida cotidiana y la estructura de su gobierno. Aún más misteriosas eran sus creencias religiosas. Al menos, misteriosas en el sentido de que los historiadores aún no saben mucho sobre sus creencias. Aunque en este libro se han tratado algunos temas generales de sus religiones, en este capítulo se profundizará en algunas de las diversas teorías que subyacen a la religión harappa.

Teorías religiosas

Se desconoce si los harappa escribieron sobre su religión, ya que los historiadores no pueden leer la escritura del Indo. Por ello, los historiadores deben recurrir a los artefactos que dejaron los harappa, como esculturas y otros tipos de obras de arte. Los historiadores también se fijan en las creencias de los habitantes de las zonas cercanas. Esto se debe a que civilizaciones con culturas similares pueden haber tenido religiones parecidas o compartidas.

Si los harappa compartían religión con alguna otra cultura, lo más probable es que fuera con los mesopotámicos. Como ya se ha dicho, los arqueólogos han encontrado una escultura parecida a la diosa madre mesopotámica[235]. Si los harappa adoraban a la diosa madre, es posible que también adoraran a otros dioses y diosas mesopotámicos, además de seguir otros aspectos de su religión.

---

[235] "Indus Valley Civilization".

Los mesopotámicos tenían una religión politeísta, lo que significa que adoraban a más de un dios o diosa. Los dos primeros dioses, Apsu y Tiamat, crearon el mundo. Una vez creado el mundo, otros dioses cobraron vida. Sin embargo, estos dioses más jóvenes a menudo entraban en conflicto con sus mayores. Sus batallas y las consecuencias de las mismas sirvieron para crear diversas características de la Tierra[236]. Estas historias se integraron en la mitología general de Mesopotamia. Al igual que muchas otras culturas antiguas, su mitología determinó la forma en que veían el mundo que les rodeaba e interactuaban con él.

Los templos se erigían como lugares para mostrar veneración a los dioses. Si los humanos adoraban a sus dioses y les hacían sacrificios, los dioses los protegerían y velarían por ellos. Los humanos también podían rezar como forma de culto[237]. Sin embargo, los harappa no construyeron templos suntuosos ni otros edificios que pudieran haber sido lugares de culto[238]. Esto va en contra de la teoría de que los harappa y los mesopotámicos tenían la misma religión. Por otra parte, es posible que adoraran a los mismos dioses, pero de formas diferentes.

Los mesopotámicos también creían en el poder de la adivinación o predicción del futuro. Los adivinos podían interpretar los mensajes de los dioses observando los órganos de ciertos animales, las acciones de los animales vivos y la salud de las personas[239]. La adivinación era una habilidad especializada que no todo el mundo podía realizar.

Es posible que los harappa creyeran en una forma de animismo. En términos generales, el animismo es la creencia de que todos los seres vivos (y a veces los no vivos) tienen alma. Este culto gira principalmente en torno a los animales y las plantas, pero también puede incluir cosas como ríos, montañas y objetos en los que podrían habitar espíritus (humanos o de otro tipo)[240]. En esta religión no hay dioses ni diosas superiores, sino que todo tiene un espíritu. Por eso, todo puede ser venerado. Sin embargo, esto no significa que se adorara todo. Es probable que la gente eligiera las plantas, los animales, los espíritus de

---

[236] Mark, Joshua J. "Mesopotamian Religion". World History Encyclopedia. World History Publishing, 22 de febrero de 2011, https://www.worldhistory.org/Mesopotamian_Religion/.

[237] Mark, Joshua J. "Mesopotamian Religion".

[238] Elshaikh, Eman. "Indus River Valley Civilizations".

[239] Mark, Joshua J. "Mesopotamian Religion".

[240] Perkins, McKenzie. "What Is Animism?". Learn Religions, 5 de abril de 2019, https://www.learnreligions.com/what-is-animism-4588366

---

difuntos o los objetos no vivos que querían alabar.

Algunos arqueólogos sugieren que los harappa eran animistas porque crearon muchas obras de arte y sellos que representan plantas y animales. Algunas de sus obras mostraban a seres humanos y animales juntos. También hay quien sugiere que los harappa adoraban las piedras si creían que albergaban espíritus[241]. No se sabe cómo se veneraba a estos animales, plantas y objetos inanimados. Para entender cómo pudo hacerse, tenemos que ver cómo funciona el animismo en otras culturas alrededor del mundo.

La sugerencia de que los harappa eran animistas parece tener más peso que la idea de que adoraban exactamente igual que los mesopotámicos. El animismo no requiere templos ni líderes religiosos. Esto concuerda efectivamente con la falta de edificios religiosos o señales de una religión centralizada en el valle del Indo.

Algunos animistas creían en un dios supremo que gobernaba sobre todos los espíritus, mientras que otros grupos no. En cualquier caso, el animista medio se preocupaba más por alabar y respetar a los espíritus cotidianos que a un dios supremo. Estos espíritus podían afectar a la gente a nivel personal. Cuanto más amable fuera una persona con los espíritus, mejor le iría la vida[242]. En cambio, si una persona no respetaba a los espíritus, tendría mala suerte.

Otra teoría popular es que los harappa fueron algunos de los primeros hindúes o que sus prácticas religiosas inspiraron lo que con el tiempo se convertiría en el hinduismo. Es difícil saberlo con certeza. Los investigadores estiman que el hinduismo como religión organizada comenzó en algún momento entre 2300 y 1500 a. e. c., muy probablemente en el valle del Indo[243]. Aunque esta cronología y esta zona coinciden con la civilización Harappa, no significa necesariamente que la civilización Harappa en su conjunto fuera hindú.

El *Rigveda*, el primero de los libros sagrados hindúes, fue escrito alrededor del año 1500 a. e. c. En esa época aún existía la civilización

---

[241] Anand. "Socio-Religious Life of the Harappan People". Your Article Library, n.d., https://www.yourarticlelibrary.com/history/socio-religious-life-of-the-harappan-people/47142.

[242] Halverston, Dean. "An Overview Definition of Animism". The Traveling Team. International Students, Inc, 2004, https://www.thetravelingteam.org/articles/animism-overview.

[243] History.com Editors. "Hinduism". History. A&E television Networks, 19 de mayo de 2022, https://www.history.com/topics/religion/hinduism

del valle del Indo, pero el libro estaba escrito en sánscrito, por lo que sabemos que no fue la gente del valle del Indo quien lo escribió[244]. Es casi imposible decir con certeza si alguien de la civilización del valle del Indo llegó a leer el *Rigveda*, pero lo más probable es que el harappa medio no tuviera acceso a él.

Una de las principales razones por las que los arqueólogos creen que los harappa podrían haber tenido algo que ver con el hinduismo es el sello de Pasupati. Este sello representa a un dios que era el señor de los animales. Los historiadores lo ven como un proto Shiva, que es un dios hindú[245]. Por lo tanto, si bien los harappa no eran hindúes, tenían una religión que de alguna manera se relacionaba con el hinduismo.

Sabiendo todas estas cosas sobre el hinduismo y la cronología general de la civilización del valle del Indo, lo más probable es que los harappa creyeran en *algo*. Podría tratarse de animismo, protodioses u otros espíritus. Más tarde, el hinduismo tomaría algunos aspectos de lo que creían los harappa (y otros pueblos de la zona) y los incorporaría a la religión. Así que, aunque no es justo decir que los harappa eran hindúes, sí lo es afirmar que influyeron en lo que se convertiría en el hinduismo.

Por último, es posible que los harappa no tuvieran religión o creyeran en algún tipo de poder superior no especificado. Si este fuera el caso, los harappa no habrían tenido ceremonias religiosas o incluso una religión centralizada. Sin embargo, como el ateísmo es más una falta de religión que una religión en sí, es difícil demostrar si los harappa creían o no en ella.

Iconografía

La iconografía es un tipo común de práctica artística en la que ciertas figuras, formas y diseños representan diferentes conceptos, animales o personas. En el caso de los harappa, la mayor parte de su iconografía se encuentra en sellos y cerámicas. Los diseños solían pintarse o grabarse en las obras[246]. Varios historiadores y antropólogos tienen teorías sobre el significado de estas figuras.

---

[244] History.com Editors. "Hinduism".

[245] Marcus334. "Shiva Pashupati". World History Encyclopedia. World History Publishing, 26 de abril de 2012, https://www.worldhistory.org/image/361/shiva-pashupati/.

[246] Sparavigna, Amelia. "Icons and Signs from the Ancient Harappa". Dipartimento di Fisica, Politechnico di Torino, n.d., https://web-archive.southampton.ac.uk/cogprints.org/6179/1/icons-and-signs-harappa.pdf

Algunos de los iconos más comunes en el arte harappa eran animales domésticos. En parte, estos iconos eran tan populares porque la agricultura era muy importante para la vida cotidiana y la economía de los harappa. Algunos antropólogos sugieren que el arte con animales de granja domesticados podría representar un tótem familiar[247]. Esto sugiere que los objetos marcados con un animal y una escritura específicos indicaban que el objeto pertenecía a una determinada familia. Esto habría sido especialmente común en las familias de mercaderes y comerciantes.

Los tótems de animales también aparecían en edificios, lo que podría indicar que eran lugares donde se compraban, vendían o sacrificaban animales[248]. Si se sacrificaban animales en estos lugares, eso demostraría que tenían algún tipo de significado religioso. Si los harappa tenían alguna forma de religión antigua, es probable que algún tipo de sacrificio hubiera sido una parte común de sus prácticas religiosas.

Figura de cerámica harappa (valle del Indo)
Gary Todd Flickr, Dominio público, https://creativecommons.org/publicdomain/zero/1.0/, 12 de noviembre de 2015, https://www.flickr.com/photos/101561334@N08/22517672984

---

[247] Sparavigna, Amelia. "Icons and Signs from the Ancient Harappa".

[248] Sparavigna, Amelia. "Icons and Signs from the Ancient Harappa".

Las estrellas eran otro icono común, ya que aparecían en todo tipo de obras de arte harappa. Esto podría sugerir que los harappa apreciaban las estrellas, ya fuera por su belleza o por razones astrológicas[249]. Esto se relaciona estrechamente con la astrología védica. La astrología védica tiene sus raíces en el valle del Indo y comenzó alrededor del 300 a. e. c.[250]. Si bien esto fue una cantidad considerable de tiempo después de que la civilización del valle del Indo había terminado, es posible que los védicos sostuvieran algunos de los mismos puntos de vista astrológicos que los harappa. Si los harappa creían en alguna forma temprana de astrología, probablemente no habría sido tan compleja como la posterior astrología védica. Sin embargo, podría haber influido en la astrología védica.

Los habitantes del valle del Indo también utilizaban formas básicas para representar ideas. Una X representaba división, compartir y caminos[251]. No debería sorprendernos que este símbolo se usara a menudo en el valle del Indo, sobre todo porque el valle del Indo tenía grandes estructuras de calles y ciudades.

Un símbolo en forma de corchete representaba el cielo o la lluvia[252]. La lluvia era especialmente importante para los harappa, ya que dependían del calendario de la estación de los monzones para cultivar eficazmente. Los harappa tenían en gran estima la lluvia y el agua. Por ello, es lógico que utilizaran el mismo símbolo para representar la lluvia y el cielo.

Los peces eran otro símbolo común. A diferencia de los animales de granja domesticados, los peces representaban menos a las familias y más a los dioses, la religión o las estrellas. Otras marcas o formas cerca de los peces podían representar una estrella concreta, varias estrellas o planetas. Estos mismos símbolos serían adoptados más tarde por los védicos[253]. Esto es solo otra cosa que sugiere que los harappa tenían un interés en la astrología y que podrían haber influido en algunos aspectos de la astrología védica.

---

[249] Sparavigna, Amelia. "Icons and Signs from the Ancient Harappa".

[250] Koch-Westenholz, Ulla. "Mesopotamian Astrology". CNI Publications. Museum Tusculanum Press, 1995.

[251] Sparavigna, Amelia. "Icons and Signs from the Ancient Harappa".

[252] Sparavigna, Amelia. "Icons and Signs from the Ancient Harappa".

[253] Sparavigna, Amelia. "Icons and Signs from the Ancient Harappa".

Prácticas funerarias

Desde que se descubrieron los primeros yacimientos importantes del valle del Indo en la década de 1920, solo se han hallado unos cientos de tumbas harappa. Todas estas tumbas son subterráneas, pero algunas estaban mejor estructuradas que otras. Las tumbas podían ser rectangulares u ovaladas. Las mejor estructuradas estaban revestidas con ladrillos de barro. Algunos arqueólogos creen que los harappa a veces utilizaban ataúdes de madera[254]. Sin embargo, si los harappa utilizaban ataúdes, estos se han descompuesto. Es probable que los ataúdes tuvieran una forma similar a la actual, pero es imposible saberlo con seguridad.

Los cementerios solían tener forma de montículo. Esto es lo que explica que Mohenjo-daro sea llamado el "montículo de la muerte". Los grandes montículos se encontraban comúnmente en las afueras de las grandes ciudades[255]. Cuanto mayor era la ciudad, más montículos o túmulos más grandes tenía la zona.

Los harappa solían ser enterrados con objetos como vasijas, joyas, platos, baratijas y comida. Ninguno de estos artículos habría sido muy caro, aparte de las joyas. A partir de 2019, los arqueólogos no han encontrado ninguna tumba harappa con nada especialmente ornamentado en ella[256]. Esto sugiere dos cosas. En primer lugar, sugiere que los harappa creían en algún tipo de vida después de la muerte. Ser enterrado con objetos es una señal común de ello en otras culturas, por lo que es lógico que los harappa enterraran a la gente con objetos por la misma razón. En segundo lugar, sugiere que los harappa pensaban que solo necesitaban ciertos objetos en la otra vida. Sus espíritus no necesitarían objetos caros en la otra vida. Solo necesitarían objetos prácticos.

---

[254] "Burial Methods of the Indus Valley Civilization". Unacademy. Sorting Hat Technologies Pvt Ltd, n.d., https://unacademy.com/content/bpsc/study-material/history/burial-methods-of-the-indus-valley-civilization/#:~:text=More%20than%20two%20hundred%20bodies,sites%20after%20all%20these%20years.

[255] Prabhakar, V. N. "A Survey of Burial Practices in the Late/Post-Urban Harappan Phase during the Second and First Millennium BCE". Journal of Multidisciplinary Studies in Archaeology 3 (2015): 54–83.

[256] Biswas, Soutik. "Harappa Grave of Ancient Couple Reveals Secrets". BBC, 9 de enero de 2019, https://www.bbc.com/news/world-asia-india-46806084.

De vez en cuando, las parejas y los miembros de la familia eran enterrados en la misma tumba. Como en la tumba cabía más de una persona, era más ancha que las demás. Esto era poco frecuente y solo ocurría si las personas morían al mismo tiempo[257]. Los arqueólogos pueden determinar si las personas encontradas en tumbas conjuntas están emparentadas o no mediante pruebas de ADN. Sin embargo, puede resultar difícil hacerlo con esqueletos tan antiguos como los hallados en los yacimientos harappa.

A veces, los arqueólogos pueden determinar la antigüedad de una tumba sin datación por carbono a partir de lo organizado o no que esté el yacimiento. Durante los miles de años que estuvo ocupado el valle del Indo, la gente fue enterrada en lugares similares. Con el paso del tiempo, los cuerpos tuvieron que apiñarse en espacios abarrotados o enterrarse encima de tumbas más antiguas[258].

A veces, después de que una persona hubiera estado muerta y enterrada el tiempo suficiente, sus huesos se trasladaban de la tumba a la cerámica. Esta cerámica solía volver a enterrarse. En raras ocasiones, se han encontrado vasijas de hueso dentro o debajo de las casas. Algunas de estas vasijas estaban decoradas y tenían tapa, mientras que otras estaban abiertas y eran lisas. Si estaban decoradas, los diseños solían tener un significado simbólico. Las plantas y los animales eran algunos de los diseños más comunes[259]. Por lo general, colocaban los cráneos en la parte superior de la vasija. Normalmente, solo había un cuerpo por vasija[260]. A veces, todos o algunos de los huesos tenían marcas de quemaduras o habían sido totalmente incinerados. Incluso en estos casos, el cráneo solía dejarse intacto[261]. Probablemente se hacía para ahorrar espacio en los cementerios. En otras culturas del mundo se hacían cosas similares.

---

[257] Biswas, Soutik. "Harappa Grave of Ancient Couple Reveals Secrets".

[258] "Burial Methods of the Indus Valley Civilization".

[259] Prabhakar, V. N. "A Survey of Burial Practices in the Late/Post-Urban Harappan Phase during the Second and First Millennium BCE".

[260] "Burial Methods of the Indus Valley Civilization".

[261] Prabhakar, V. N. "A Survey of Burial Practices in the Late/Post-Urban Harappan Phase during the Second and First Millennium BCE".

Cerámica encontrada en un cementerio

La vida después de la muerte

La forma en que los harappa veían la vida después de la muerte, si es que pensaban en ella, probablemente dependía de la religión (si es que practicaban alguna). A continuación, se presentan algunas de las posibilidades de lo que pueden haber pensado que la otra vida parecía, así como quién tiene que ir a la otra vida.

Si los harappa seguían la religión mesopotámica, al morir iban al inframundo. La tierra de los muertos no era similar al concepto cristiano de cielo o infierno. En su lugar, era un lugar muy querido. Un humano no podía ir a la versión mesopotámica del cielo, Dilmun, ya que era un lugar destinado solo a los dioses[262]. La muerte era un aspecto de la vida aceptado pero temido. Apaciguar a los dioses en vida solo facilitaba la vida antes de la muerte, pero afectaba poco a la vida después de la muerte.

Sin embargo, los miembros de la familia podían influir de algún modo en la vida después de la muerte de sus seres queridos. Asegurarse de que un familiar tuviera un entierro adecuado ayudaba a tranquilizar su alma (o un concepto similar de alma). Esto facilitaba la vida después de la muerte, pero también hacía menos probable que el alma del

---

[262] Mark, Joshua J. "Mesopotamian Religion".

difunto causara problemas en la tierra de los vivos. La gente podía dejar ofrendas (normalmente comida) en las tumbas de sus seres queridos. Un espíritu apaciguado no les causaba ningún daño una vez que entregaban las ofrendas. Si la familia tenía problemas tras la muerte de la persona, podía consultar a un nigromante para ver si alguno de los miembros vivos había hecho algo que ofendiera al familiar fallecido[263]. La creencia de que los espíritus de los seres queridos difuntos podían interferir con los vivos era otro aspecto del mito mesopotámico que ayudaba a explicar por qué sucedían las cosas. Se utilizaba sobre todo para explicar la mala suerte y por qué le ocurrían cosas malas a la gente buena.

Si los harappa eran animistas, probablemente no concebían la vida después de la muerte como un lugar físico. En cambio, era más probable que creyeran en algo más cercano a la reencarnación o a los fantasmas. O bien sus espíritus vivían en el plano mortal, o bien se reciclaban para ocupar un nuevo recipiente[264]. Si se reencarnaban, pasaban a vivir otra vida. Si se convertían en espíritus sin cuerpo, actuaban más como fantasmas o espíritus errantes que podían interactuar con el mundo que los rodeaba. En cualquier caso, los animistas harappa no tenían por qué temer a la muerte, ya que se trataba de un nuevo comienzo.

Suponiendo que los harappa fueran hindúes o creyeran en algo previo al hinduismo, probablemente habrían creído en la reencarnación, como hacen los hindúes hoy en día. Las almas no se reasignan después de la muerte al azar. Las almas son juzgadas en función de lo que la persona hizo en vida. La gente que llena su vida de malas acciones acabará peor que en su vida pasada, y la gente que hizo muchas buenas acciones acabará en un lugar mejor que en su vida pasada[265]. El «sistema» es un poco más complicado que esto. Lo importante es que, si los harappa creían en la reencarnación, esperaban que sus acciones influyeran en sus vidas futuras.

Además de la reencarnación, existen varios cielos e infiernos. Si un alma no se reencarnaba, podía ser enviada a uno de dos lugares parecidos al cielo. El primero era una vida después de la muerte llena de antepasados. Otro lugar parecido al cielo estaba lleno de dioses. En vida,

---

[263] Mark, Joshua J. "Mesopotamian Religion".

[264] Halverston, Dean. "An Overview Definition of Animism".

[265] V., Jayaram. "Death and Afterlife in Hinduism". Hinduwebsite.com, n.d, https://www.hinduwebsite.com/hinduism/h_death.asp/

la gente podía hacer ofrendas a sus antepasados o a los dioses. Algunos dioses tenían sus propias versiones del cielo. Las personas que vivían vidas terribles iban a lugares parecidos al infierno, llenos de demonios. A diferencia del cristianismo, los condenados no permanecían en el infierno eternamente, sino solo hasta que pagaban su mal karma[266]. No sabemos si los harappa creían en el karma, pero es posible que tuvieran un concepto similar. Aunque no creyeran en el karma, es posible que tuvieran un concepto del cielo y el infierno.

Los hindúes también creen en fantasmas y espíritus. Las personas que se suicidan tienen más probabilidades de convertirse en fantasmas. Los espíritus pueden ser buenos o malos. A veces pueden poseer a los humanos para hacer el bien o el mal. Tanto los fantasmas como los espíritus tienden a quedarse en lugares importantes o desolados[267]. Dado que una persona normal no se convierte en fantasma, es posible que los harappa no pensaran en este resultado, sino que se centraran principalmente en la reencarnación o en el cielo y el infierno.

Si los harappa eran ateos, probablemente no creían en ningún tipo de vida después de la muerte. Una vez que sus vidas terminaban, su alma (si creían en un alma) también habría muerto. No habrían tenido que prepararse para el más allá. Si eran agnósticos, es posible que creyeran en algún tipo de vida después de la muerte, pero lo más probable es que fuera un concepto vago en lugar de un hecho. Hay un número ilimitado de formas en las que podrían haberse preparado para la vida después de la muerte.

Conclusión

Los harappa eran tan misteriosos en vida como en muerte, pero la mayor parte de este misterio se debe simplemente a que no podemos leer nada de lo que escribieron. Mientras tanto, los historiadores y otras personas tienen que utilizar las reliquias que dejaron los pueblos del Indo para adivinar en qué creían.

---

[266] V., Jayaram. "Death and Afterlife in Hinduism".

[267] V., Jayaram. "Death and Afterlife in Hinduism".

Cuarta parte:
El legado de la civilización del valle del Indo

Capítulo 10: El colapso de la civilización del Indo (1300 a. e. c.)

A lo largo de este libro, hemos aprendido que el pueblo del valle del Indo se mantuvo alejado de la guerra, la invasión y otras amenazas generales de otras naciones. Esto pudo deberse en parte a sus saludables relaciones comerciales con las naciones cercanas o a las cadenas montañosas que rodeaban el valle del Indo, que habrían dificultado la invasión. Muchas otras civilizaciones antiguas llegaron a su fin debido a guerras o invasiones, por lo que es extraño que la civilización del valle del Indo no lo hiciera.

Dado que la civilización del valle del Indo no terminó con el estallido de una guerra o el chisporroteo de una enfermedad, su cultura se extinguió lentamente. Esto también hace que sea más difícil determinar con exactitud la causa del colapso de la civilización, así como lo que ocurrió con los harappa que quedaron después. Algunas de las teorías más populares tienen que ver con el declive de la producción agrícola. El declive de la agricultura habría dificultado la vida próspera de los harappa en el valle del Indo, animándolos a trasladarse a otros lugares.

Sequía

La civilización del valle del Indo dependía de las estaciones monzónicas para saber cuándo plantar y cosechar sus cultivos. Sin este calendario estacional, los agricultores harappa habrían tenido dificultades para cultivar alimentos suficientes[268]. La sequía era uno de los principales problemas que podían ocurrir si la temporada de monzones no se producía según lo previsto.

Un reciente estudio arqueológico de 2018 sugiere que el valle del Indo atravesó una gran temporada de sequía que duró ¡casi novecientos años! Esto habría comenzado en algún momento alrededor de 2350 a. e. c. y duró hasta alrededor de 1450 a. e. c.[269]. Esta cronología concuerda perfectamente con el declive y el fin de la civilización del valle del Indo.

El hecho de que la época de sequía durara unos novecientos años no significa que no hubiera monzones ni lluvia durante todo ese tiempo. Simplemente, las lluvias monzónicas no fueron tan intensas[270]. Esto no habría acabado con la civilización de inmediato, pero la habría debilitado a lo largo de los siglos.

Los investigadores que descubrieron este periodo de sequía sugirieron que los harappa se habrían trasladado fuera del valle del Indo en busca de tierras más fértiles. Es posible que los harappa se trasladaran al valle del Ganges-Yamuna, Bengala, Vindhyachal y Gujarat[271]. Por supuesto, es probable que muchos harappa murieran de hambre antes de que la civilización en su conjunto se desintegrara y se trasladara a otras zonas, principalmente a la India actual.

Inundaciones

Aunque los monzones fueran más débiles en el último milenio, el valle del Indo seguía siendo propenso a las inundaciones. Una expedición arqueológica realizada a mediados de la década de 1960 demostró que algunos edificios harappa habían sido elevados artificialmente a lo largo de muchos años, muy probablemente para situarlos por encima del nivel creciente del agua[272]. Unas aguas tan altas como para amenazar los edificios también habrían dañado las granjas y

---

[268] "Geography of the Ancient Indus River Valley".

[269] Pandey, Jhimli M. "900 Year Drought Wiped Out Indus Civilization: IIT-Kharagpur". The Times of India, 16 de abril de 2018, https://timesofindia.indiatimes.com/india/900-year-drought-wiped-out-indus-civilisation-iit-kharagpur/articleshow/63776710.cms.

[270] Pandey, Jhimli M. "900 Year Drought Wiped Out Indus Civilization: IIT-Kharagpur".

[271] Pandey, Jhimli M. "900 Year Drought Wiped Out Indus Civilization: IIT-Kharagpur".

[272] Dales, George, F. "Civilization and Floods in the Indus Valley". Expedition Magazine 7.4 (1965): n. pag. Expedition Magazine. Penn Museum, 1965 Web. 23 de agosto de 2022 <https://www.penn.museum/sites/expedition/?p=1010>

ahogado las cosechas.

La misma expedición demostró que algunos depósitos de agua de las inundaciones se elevaban unos treinta pies por encima de donde se encontraba normalmente el nivel del agua[273]. Se desconoce cuándo llegó el agua a ese nivel, pero lo más probable es que subiera con el tiempo y no de golpe. Esto significa que los habitantes habrían podido ver que el nivel de las aguas sería demasiado alto para seguir viviendo en el valle del Indo con seguridad. La mayoría de la gente habría tenido tiempo de mudarse sin tener que preocuparse por las inundaciones repentinas. Es probable que en el futuro los científicos estudien los estilos de construcción para saber cuándo se levantaron los edificios, lo que también nos daría una buena estimación de cuándo se produjeron las inundaciones.

No hay ningún momento en el que las inundaciones fueran un problema para los harappa. Al igual que los monzones, las inundaciones también tenían ciclos. Los historiadores sugieren que pudo haber hasta seis grandes inundaciones en el valle del Indo antes del fin de la civilización[274]. Al igual que en el caso de la sequía, los harappa probablemente se habrían trasladado fuera del valle del Indo para evitar los efectos de estas inundaciones.

Asimilación

Dado que la civilización del valle del Indo llegó a su fin lentamente, muchos harappa habrían abandonado la zona para vivir en otros lugares. Como ya se ha mencionado, la mayoría de los harappa probablemente se trasladaron a la India actual y a las zonas circundantes. Cuando se trasladaron, probablemente se casaron y tuvieron hijos con los nativos de esas zonas. Existen varias teorías sobre las culturas con las que se asimilaron los harappa.

Aunque la teoría de la invasión aria está más o menos desacreditada, es posible que los harappa se asimilaran a la cultura aria. Los arios emigraron a las actuales India y Pakistán entre 1900 a. e. c. y 1500 a. e. c., aproximadamente[275]. Esto coincide con el declive y la caída de la civilización del valle del Indo.

---

[273] Dales, George, F. "Civilization and Floods in the Indus Valley".

[274] Dales, George, F. "Civilization and Floods in the Indus Valley".

[275] Mark, Joshua J. "Indus Valley Civilization". World History Encyclopedia. World History Publishing, 7 de octubre de 2020, https://www.worldhistory.org/Indus_Valley_Civilization/

Aunque no existen pruebas de una batalla con los arios en el valle del Indo, sí hay pruebas genéticas de que los arios estuvieron en la zona. Un genetista, Razib Khan, dice que la investigación muestra ascendencia aria en los datos genéticos de toda la India[276]. Esto demuestra que los arios se introdujeron en la India, donde probablemente entraron en contacto con los harappa.

Existe cierto debate sobre si los harappa emigraron o no desde el actual Pakistán a la India actual. La mayor parte de este debate se debe a la falta de pruebas escritas. Un historiador, Richard Meadow, sostiene que no hay suficiente documentación de ningún grupo que demuestre que los harappa se trasladaron al sur de la India. Sin embargo, Iravatham Mahadevan, un erudito indio que estudió inscripciones antiguas, sugiere que hay suficientes pruebas, tanto escritas como de otro tipo. Al parecer, antiguos poemas tamiles hablan de una migración de Pakistán a la India. También sugiere que, si se produjo una migración a gran escala, lo más probable es que fuera por tierra y no en barco[277]. A menos que los harappa dejaran tras de sí objetos de bronce o cerámica durante su migración, apenas quedarían pruebas físicas. Cualquier embarcación de madera o material orgánico que utilizasen en su viaje se habría biodegradado hace tiempo.

También se debate si los harappa y los védicos tenían algo que ver entre sí. El movimiento de personas descrito en el *Rigveda* no concuerda con el estilo de vida sedentario de los harappa. Además, la religión era muy importante para los védicos, y los historiadores aún no saben qué religión seguían los harappa o si seguían alguna[278]. Esto sugiere que los harappa apenas tuvieron contacto con los védicos.

---

[276] Basak, Saptarshi. "Deconstructing the 'Aryan Invasion' Debate Surrounding IIT Kharagpur's Calendar". The Quint, 30 de diciembre de 2021, https://www.thequint.com/news/india/deconstructing-the-aryan-invasion-debate-surrounding-iit-kharagpurs-calendar

[277] "Do We Have Any Evidence of a Migration from the Indus to South India?". Harappa, n.d., https://www.harappa.com/answers/do-we-have-any-evidence-migration-indus-south-india.

[278] Vahia, Mayank. "Is There Any Relation Between Vedic and Indus Civilization as many Indus and Saraswati Sites Have Been Found in the Region Which is Called Saptasindu in Vedas?". Harappa, n.d., https://www.harappa.com/answers/there-any-relation-between-vedic-and-indus-civilization-many-indus-and-saraswati-sites-have.

Por otra parte, los arqueólogos han encontrado sellos harappa que parecen representar a Pasupati, una versión protohindú de Shiva[279]. Aunque esto podría ser una coincidencia, también podría apuntar a la idea de que algunos valores religiosos harappa fueron adoptados por los védicos. Lo más probable es que los harappa se asimilaran a los védicos en algún momento.

Los sellos no son la única señal de que la civilización del valle del Indo influyó en los védicos. Los védicos adoptaron otras ideas y prácticas harappa, como el uso de altares de fuego, los baños rituales y la adoración de las estrellas[280]. Aunque todo esto podría ser una coincidencia, lo más probable es que los harappa (o antepasados de los harappa) y los védicos entraran en contacto en algún momento. Si acabaron encontrándose, lo más probable es que se casaran y tuvieran hijos juntos, mezclando sus linajes y portando ADN harappa.

Conclusión

Como ocurre con gran parte de la historia del valle del Indo, nadie sabe con certeza cuál fue la causa del fin de la civilización. El cambio climático (que no es necesariamente lo mismo que el calentamiento global) es el villano más probable. Ya fuera por inundaciones o por sequías, los harappa se habrían enfrentado a un cambio importante que habría afectado negativamente a su calendario agrícola.

Sin poder contar con la estación de los monzones, antaño fiable, los harappa habrían tenido que trasladarse a un lugar donde el clima fuera más estable. Al desplazarse, se habrían topado con personas de otras culturas. Como no hay constancia de que los últimos harappa murieran, probablemente se casaron y tuvieron hijos con los habitantes de esas zonas. Esto permitiría que algunos aspectos de su cultura perduraran, aunque los harappa de nombre prácticamente hubieran desaparecido.

---

[279] Vahia, Mayank. "Is There Any Relation Between Vedic and Indus Civilization as many Indus and Saraswati Sites Have Been Found in the Region Which is Called Saptasindu in Vedas?".

[280] Pattanaik, Devdutt. "Was Harappan Civilization Vedic or Hindu?". Daily Beta. India Today Group, 15 de diciembre de 2016, https://www.dailyo.in/variety/harappan-civilisation-hinduism-vedic-age-dharma-aryans-hindu-supremacists-marxists-14564

Conclusión

La civilización del valle del Indo duró unos dos mil años sin guerras ni conflictos importantes. El pueblo que formaba esta civilización, los harappa, era principalmente agricultor. Sus conocimientos de agricultura, combinados con las previsibles estaciones monzónicas, les permitieron asentarse en un valle fértil.

Los agricultores harappa dominaban la plantación de diferentes cultivos de cereales y aprendieron a domesticar diversos tipos de animales. Los harappa también eran grandes pescadores. La agricultura se convirtió en la fuerza dominante de la economía del valle del Indo. Sin ella, la civilización del valle del Indo no podría sobrevivir. Al final, lo más probable es que fuera el cambio climático lo que alteró la capacidad de los harappa para la agricultura, lo que los obligó a abandonar el valle del Indo.

Una vez asentados en un lugar, los harappa pudieron construir magníficas ciudades y edificios, algunos de los cuales siguen en pie (aunque en ruinas) hoy en día. A pesar de su talento para la construcción y la planificación urbana, los harappa nunca construyeron templos. Esto podría sugerir que no tenían una religión centralizada que hubiera requerido templos. Sin embargo, esto no significa que los harappa no tuvieran la capacidad de construir templos, ya que construyeron muchas otras grandes estructuras, incluyendo casas y baños.

Sin poder leer la escritura del Indo, los historiadores tienen que examinar lo que los harappa dejaron tras de sí. Son famosos por su hermosa cerámica y sus figuras, que en su mayoría estaban hechas de terracota y minerales similares. Los harappa eran también una sociedad de la Edad de Bronce, lo que, por definición, significa que acabaron aprendiendo a trabajar el bronce. Utilizaban el bronce para hacer esculturas, herramientas y joyas.

Los harappa utilizaban los objetos que fabricaban y los alimentos que cultivaban en el valle del Indo, así como comerciaban con las civilizaciones cercanas. Los historiadores son los que tienen más pruebas de que los harappa comerciaban con los mesopotámicos, pero también sabemos que lo hacían con los pueblos del actual norte de la India y China. Cuando se trataba de comerciar, los harappa navegaban a Mesopotamia en grandes barcos, viajaban por tierra para llegar a la India y hacían que los mercaderes chinos acudieran a ellos. Lo más probable es que sus relaciones comerciales fueran positivas, ya que no hay constancia de conflictos con otras naciones ni pruebas físicas de ello. Además, las relaciones comerciales duraron cientos de años.

Cuando no cultivaban, fabricaban o comerciaban, los harappa se relajaban en lugares como los grandes baños. Estos baños se utilizaban probablemente de forma similar a las antiguas termas romanas. Si los harappa no querían hacerlo, también podían jugar juegos o jugar con juguetes.

Aunque los historiadores saben mucho sobre la vida cotidiana de los harappa, aún no sabemos qué tipo de gobierno o religión tenían, si es que tenían alguno. Estos y muchos otros datos sobre los habitantes del valle del Indo seguirán siendo un misterio hasta que sepamos leer mejor la escritura del Indo. Hasta entonces, nuevas excavaciones en los yacimientos harappa proporcionarán más pistas sobre cómo vivían estos antiguos pueblos.

Vea más libros escritos por Enthralling History

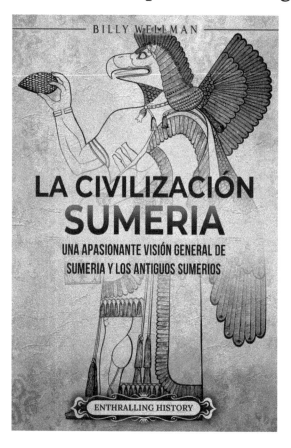

Bibliografía

Allchin, F. Raymond, Srivastava, A.L., Alam, Muzaffa, Dikshit, K.R, Thapar, Romila, Spear, T.G. Percival, Champakalakshmi, R, Schwartzberg, Joseph E., Subrahmanyam, Sanjay, Wolpert, Stanley A. and Calkins, Philip B. "India". Encyclopedia Britannica, 29 de junio de 2022. https://www.britannica.com/place/India.

Amruta, Patil. "Agriculture During Indus Valley Civilization - Ancient India History Notes". University of North Dakota. Prepp, 6 de julio de 2022, https://prepp.in/news/e-492-agriculture-during-indus-valley-civilization-ancient-india-history-notes

Anand. "Socio-Religious Life of the Harappan People". Your Article Library, n.d., https://www.yourarticlelibrary.com/history/socio-religious-life-of-the-harappan-people/47142.

"Ancient Irrigation System". Indus River Valley Information, n.d., https://indusrivervalleyinformation.weebly.com/ancient-irrigation-system.html.

Atmaca, Dogukan. "Roman Baths as Social Congregation Places and Roman Bathing Culture". Mediterranean History & Culture by Dogukan Atmaca. 3 de julio de 2019, https://www.doatmaca.com/post/roman-baths-as-social-congregation-places-and-roman-bathing-culture.

B., Kanika. "Early Indus Civilization and Its Trade Relations". HistoryDiscussion.net, n.d., https://www.historydiscussion.net/history-of-india/indus-valley-civilisation/early-indus-civilization-and-its-trade-relations-india-history/7058.

Basak, Saptarshi. "Deconstructing the 'Aryan Invasion' Debate Surrounding IIT Kharagpur's Calendar". The Quint, 30 de diciembre de 2021, https://www.thequint.com/news/india/deconstructing-the-aryan-invasion-debate-surrounding-iit-kharagpurs-calendar

Bhagat, Sonya. "A Study of the Harappan Pottery Tradition in Saurashtra (With Special Reference to Padri and Tarasara, Shavnagdar District, Gujarat)". Bulletin of the Deccan College Research Institute 64/65 (2004): 359–64. https://www.jstor.org/stable/42930666

Biswas, Soutik. "Harappa Grave of Ancient Couple Reveals Secrets". BBC, 9 de enero de 2019, https://www.bbc.com/news/world-asia-india-46806084.

Borland, William, Borz-Baba, Luca, and Farid, Sulmon. "Indus Valley Timeline". Sutori, 2017, https://www.sutori.com/en/story/indus-valley-timeline--wT3cJeHpx6TxYUQbC5ZTNXpD.

Brisch, Nicole. "Mother Goddess (Ninmag, Nintud/r, Belet-ili)". Ancient Mesopotamian Gods and Goddesses, Oracc and the UK Higher Education Academy, 2013, https://oracc.museum.upenn.edu/amgg/listofdeities/mothergoddess/.

Britannica, T. Editors of Encyclopedia. "Bronze Age". Encyclopedia Britannica, 13 de mayo de 2022. https://www.britannica.com/event/Bronze-Age.

Britannica, T. Editors of Encyclopedia. "Great Bath". Encyclopedia Britannica, 26 de enero de 2018. https://www.britannica.com/place/Great-Bath-Mohenjo-daro.

Britannica, T. Editors of Encyclopedia. "Mohenjo-daro". Encyclopedia Britannica, 16 de mayo de 2021. https://www.britannica.com/place/Mohenjo-daro.

"Burial Methods of the Indus Valley Civilization". Unacademy. Sorting Hat Technologies Pvt Ltd, n.d., https://unacademy.com/content/bpsc/study-material/history/burial-methods-of-the-indus-valley-civilization/#:˜:text=More%20than%20two%20hundred%20bodies,sites%20after%20all%20these%20years.

Burki, Shahid J. and Ziring, Lawrence. "Pakistan". Britannica, 1 de julio de 202, https://www.britannica.com/place/Pakistan

Chase, Brad. "Family Matters in Harappan Gujarat". Academia, 2018, https://www.academia.edu/37391121

Chhatrapati Shivaji Maharaj Bastu Sangrahalaya. "Harappan Miniature Pottery". Indian Culture, n.d., https://indianculture.gov.in/artefacts-museums/harappan-miniature-pottery#:˜:text=Harappan%20pottery%20was%20made%20of,basin%2C%20casket%20and%20so%20on.

Cracker, KAS. "Indus Valley Civilization - Town Planning". Midukkan Tony, 28 de marzo de 2021, https://www.midukkantony.com/post/indus-valley-civilization-town-planning.

Dales, George, F. "Civilization and Floods in the Indus Valley". Expedition Magazine 7.4 (1965): n. pag. Expedition Magazine. Penn Museum, 1965 Web. 23 de agosto de 2022 <https://www.penn.museum/sites/expedition/?p=1010>

Dalley, Stephanie M. "Sargon". Encyclopedia Britannica, 5 de enero de 2021. https://www.britannica.com/biography/Sargon.

"Dancing Girl (Mohenjo-daro) from the Indus Valley Civilization". Joy of Museums Virtual Tours, 2022, https://joyofmuseums.com/museums/asia-museums/india-museums/national-museum-new-delhi/dancing-girl-Mohenjo-daro/.

Dangi, Vivek and Uesugi, Aninori. "A Study on Harappan Painted Pottery from the Ghaggar Plains". The Journal of the Indian Archaeological Society, No. 43, 2013, https://www.academia.edu/9718951/A_Study_on_the_Harappan_Painted_Pottery_from_the_Ghaggar_Plains

Deepak, Prabeer. "Agriculture and Economy of Indus Valley Civilization". Guru, 2020, https://www.ownguru.com/blog/indus-valley-civilization-agriculture/#:~:text=Agriculture%20in%20the%20Indus%20valley,rice%20were%20grown%20in%20summer.

"Disappearance of the Indus Valley Civilization". LumenCandela. Lumen Learning, n.d., https://courses.lumenlearning.com/suny-hccc-worldcivilization/chapter/disappearance-of-the-indus-valley-civilization/.

"Domestication Timeline". American Museum of Natural History, n.d., https://www.amnh.org/exhibitions/horse/domesticating-horses/domestication-timeline

"Do We Have Any Evidence of a Migration from the Indus to South India?". Harappa, n.d., https://www.harappa.com/answers/do-we-have-any-evidence-migration-indus-south-india

"Early Civilization in the Indus Valley". Ancient Civilizations Online Textbook. UsHistory.org, 2022, https://www.ushistory.org/civ/8a.asp.

EIA Editors. "Indus Valley Terracotta Animal Figurines". Map Academy, n.d., https://mapacademy.io/article/indus-valley-terracotta-animal-figurines/.

Elshaikh, Eman. "Indus River Valley Civilizations". Khan Academy, 2017, https://www.khanacademy.org/humanities/world-history/world-history-beginnings/ancient-india/a/the-indus-river-valley-civilizations

Garg, Divya. "Case Study - City Planning and Organization of Indus Valley Civilization". Ischools.org, 2015, https://ischools.org/resources/Documents/Discipline%20of%20organizing/Case%20Studies/IndusValley-Garg2015.pdf.

"Geography of the Ancient Indus River Valley". Students of History, 2022, https://www.studentsofhistory.com/the-geography-of-ancient-india#:~:text=The%20Indus%20River%20Valley%20is,steady%20supply%20of%20fresh%20water.

 Glencairn Museum News. "Sacred Adornment: Jewelry as Belief in Ancient Egypt". Glencairn Museum, 2 de noviembre de 2020, https://www.glencairnmuseum.org/newsletter/2020/3/6/sacred-adornment-jewelry-as-belief-in-ancient-egypt.

Halverston, Dean. "An Overview Definition of Animism". The Traveling Team. International Students, Inc, 2004, https://www.thetravelingteam.org/articles/animism-overview.

"Harappan Architecture". Fum. Wiki, n.d.,

"Harappan Burials". Worldhistory.biz, 8 de enero de 2015, https://www.worldhistory.biz/ancient-history/67121-harappan-burials.html.

 "Harappan Culture". Students of History, n.d., https://www.studentsofhistory.com/harappan-planned-cities#:~:text=They%20used%20wheeled%20carts%2C%20boats,from%20the%20north%20in%20Afghanistan.

Hawkes, Jacquetta. The First Great Civilizations: Life in Mesopotamia, the Indus Valley, and Egypt. The History of Human Society. New York City, NY: Random House, Inc, 1980.

Hays, Jeff. "Great Cities of the Indus Valley Civilization". Facts and Details, septiembre 2020, https://factsanddetails.com/india/History/sub7_1a/entry-7116.html

Hirst, K. Kris. "Harappa: Capital City of the Ancient Indus Civilization". ThoughtCo., 20 de septiembre de 2019, https://www.thoughtco.com/harappa-pakistan-capital-city-171278

Hirst, K. Kris. "Mehrgarh, Pakistan and Life in the Indus Valley Before Harappa". ThoughtCo., 30 de mayo de 2019, https://www.thoughtco.com/mehrgarh-pakistan-life-indus-valley-171796.

History.com Editors. "Hinduism". History. A&E television Networks, 19 de mayo de 2022, https://www.history.com/topics/religion/hinduism

"Indus Valley Civilization". Cultural India, n.d., https://www.culturalindia.net/indian-history/ancient-india/indus-valley.html.

"Indus Valley Wheeled Ram Toy", in World History Commons, n.d., https://worldhistorycommons.org/indus-valley-wheeled-ram-toy

IvyPanda. "The History of Indus and Chinese Civilizations Interaction". 2 de noviembre de 2021. https://ivypanda.com/essays/the-history-of-indus-and-chinese-civilizations-interaction/.

"Jewellery". Sindhishaan, 2012,
https://www.sindhishaan.com/gallery/jewellery.html.

Karuga, James. "What is a Furrow (In Agriculture)?". World Atlas, 25 de abril
de 2017, https://www.worldatlas.com/articles/what-is-a-furrow-agriculture.html.

Kenoyer, Jonathan M. "Uncovering the Keys to the Lost Indus Cities".
Scientific American, 1 de enero de 2005,
https://www.scientificamerican.com/article/uncovering-the-keys-to-the-lost-
ind/#:~:text=The%20earliest%20village%20settlement%20at,wealth%20in%20m
ud%2Dbrick%20tombs.

Kiprop, Joseph. "Interesting Facts about the Great Bath, the World's Oldest
Public Pool". World Atlas, 10 de enero de 2019,
https://www.worldatlas.com/articles/interesting-facts-about-the-great-bath-
Mohenjo-daro-the-world-s-oldest-public-pool.html.

Koch-Westenholz, Ulla. "Mesopotamian Astrology". CNI Publications.
Museum Tusculanum Press, 1995.

Mani, B.R. "The 8th Millennium BC in the "Lost" River Valley. Friends of
ASI, 2013, https://friendsofasi.wordpress.com/writings/the-8th-millennium-bc-
in-the-lost-river-valley/

Marcus334. "Shiva Pashupati". World History Encyclopedia. World History
Publishing, 26 de abril de 2012, https://www.worldhistory.org/image/361/shiva-
pashupati/.

Mark, Joshua J. "Indus Valley Civilization". World History Encyclopedia.
World History Publishing, 7 de octubre de 2020,
https://www.worldhistory.org/Indus_Valley_Civilization/

Mark, Joshua J. "Mesopotamian Religion". World History Encyclopedia.
World History Publishing, 22 de febrero de 2011,
https://www.worldhistory.org/Mesopotamian_Religion/.

Marsh, Matthew G. "Tools of Agriculture in the Indus Civilization". History of
Applied Science & Technology, 2017,
https://press.rebus.community/historyoftech/chapter/tools-of-agriculture-in-the-
indus-civilization/

Meadow, Richard H. and Kenoyer, Jonathan, M. "Early Developments of Art
and Symbol and Technology in the Indus Valley Tradition". Harappa, 2022,
https://www.harappa.com/indus3/e2.html.

Menon, Arathi. "An Indus Seal". Smart History, 22 de abril de 2020,
https://smarthistory.org/indus-seal/.

"Mesopotamia Sumerian City-States". History's Histories, n.d.,
https://www.historyshistories.com/mesopotamia-sumerian-city-states.html

"Mesopotamia Trade: Merchants and Traders. History on the Next, Salem Media, 2022, https://www.historyonthenet.com/mesopotamian-merchants-and-traders.

Mhackworth. "No Interest in War: The Harappan Civilization". Real Archaeology. Vassar. 22 de septiembre de 2017, https://pages.vassar.edu/realarchaeology/2017/09/22/no-interest-in-war-the-harappan-civilization/#:~:text=This%20is%20the%20Harappan%20civilization,ancient%20cities%20to%20do%20so.

Mishra, Sampadananda. "Pashupati is not the Lord of Animals". Bhagavadgita.org, 27 de marzo de 2018, https://bhagavadgita.org.in/Blogs/5ab5f10f5369ed0e343a7ca0

Mukhopadhyay, Bahata A. "Ancient Tax Tokens, Trade Licenses and Metrological Records?: Making Sense of Indus Inscribed Objects Through Script-Internal, Contextual, Linguistic, and Ethnohistorial Lenses". Delivery PDF, n.d.,https://papers.ssrn.com/sol3/papers.cfm?abstract_id=3189473.

Nag, Oishimaya Sen. "Dholavira: Ancient Wonder of Gujarat". World Atlas, 25 de enero de 2021, https://www.worldatlas.com/articles/dholavira-ancient-wonder-of-gujarat.html

Pandey, Jhimli M. "900 Year Drought Wiped Out Indus Civilization: IIT-Kharagpur". The Times of India, 16 de abril de 2018, https://timesofindia.indiatimes.com/india/900-year-drought-wiped-out-indus-civilisation-iit-kharagpur/articleshow/63776710.cms

Pathania, Shivam. "Toys of Indus Valley Civilization". Amar Chitra Katha Media, 25 de junio de 2021, https://www.amarchitrakatha.com/history_details/toys-of-indus-valley-civilization/#:~:text=Animal%20figurines%2C%20utensil%20sets%2C%20puzzle,other%20visuals%2C%20was%20the%20bull.

Pattanaik, Devdutt. "Was Harappan Civilization Vedic or Hindu?". Daily Beta. India Today Group, 15 de diciembre de 2016, https://www.dailyo.in/variety/harappan-civilisation-hinduism-vedic-age-dharma-aryans-hindu-supremacists-marxists-14564

Perkins, McKenzie. "What Is Animism?". Learn Religions, 5 de abril de 2019, https://www.learnreligions.com/what-is-animism-4588366

Possehl, G. L. "The Early Harappan Phase". Bulletin of the Deacon College Research Institute, 60/61, 2003.

Prabhakar, V. N. "A Survey of Burial Practices in the Late/Post-Urban Harappan Phase during the Second and First Millennium BCE". Journal of Multidisciplinary Studies in Archaeology 3 (2015): 54–83.

Rao, S.R. "Shipping and Maritime Trade of the Indus People". Expedition Magazine 7.3 (1965): n. pag. Expedition Magazine. Penn Museum, 1965 Web. 29 de junio de 2022 <https://www.penn.museum/sites/expedition/?p=995>

"Sculpture in the Indus Valley". GK Today, 17 de diciembre de 2013, https://www.gktoday.in/sculpture-in-indus-valley-civilization/#:~:text=Terracotta%20Sculptures,-The%20terracotta%20figurines&text=The%20terracotta%20figurines%20of%20Indus,the%20female%20were%20more%20common

"Seals of Harappan Civilization". Byju's Exam Prep, 2022, https://byjus.com/free-ias-prep/seals-harappan-civilization/#:~:text=Thousands%20of%20seals%20have%20been,shape%20with%20a%202X2%20dimension.

Siddiqui, Muhammah H. "Assignment on Sandstone Reservoir in Pakistan". Department of Earth and Environmental Sciences. Bahria University, Islamabad, Pakistan, 5 de noviembre de 2015, https://www.academia.edu/18491035/Sandstone_Resorvior_in_Pakistan.

Sparavigna, Amelia. "Icons and Signs from the Ancient Harappa". Dipartimento di Fisica, Politechnico di Torino, n.d., https://web-archive.southampton.ac.uk/cogprints.org/6179/1/icons-and-signs-harappa.pdf

Subrahmanyam, S., Thapar, Romila, Spear, T.G., Percival, Calkins, Philip B., Wolpert, Stanley, A., Srivastava, A.L., Schwartzberg, Joseph E., Champakalashmi, R., Allicin, Frank Raymond, Dikshit, K.R., and Alam, Muzaffar. "India". Encyclopedia Britannica, 13 de julio de 2022, https://www.britannica.com/place/India

Taub, Ben. "Was the Indus Valley Civilization Really a Non-Violent, Egalitarian Utopia?". IFL Science, 19 de septiembre de 2016, https://www.iflscience.com/indus-valley-civilization-really-non-violent-egalitarian-utopia-37974.

"The Great Granary of Indus Valley Civilization Has Been Discovered by Which Site". Unacademy. Sorting Hat Technologies Pvt Ltd, 2022, https://unacademy.com/content/question-answer/gk/the-great-granary-of-indus-valley-civilization-has-been-discovered-by-which-site/#:~:text=Ans%3A%2D%20Granary%20is%20a,largest%20building%20discovered%20at%20Mohenjodaro.

Tiwari, Soymya V. "Music to the Years: Musical Instruments from the Indus Valley Civilization". Hindustan Times, 16 de agosto de 2016, https://www.hindustantimes.com/music/music-to-the-years-musical-instruments-from-the-indus-valley-civilisation/story-WuViIqOST8WMNCSkkayuuN.html

V., Jayaram. "Death and Afterlife in Hinduism". Hinduwebsite.com, n.d, https://www.hinduwebsite.com/hinduism/h_death.asp/

V., Jayaram. "The Religion of the Indus Valley Civilization". Hinduwebsite.com, 2019, https://www.hinduwebsite.com/history/indus.asp

Vahia, Mayank. "Is There Any Relation Between Vedic and Indus Civilization as many Indus and Saraswati Sites Have Been Found in the Region Which is Called Saptasindu in Vedas?". Harappa, n.d., https://www.harappa.com/answers/there-any-relation-between-vedic-and-indus-civilization-many-indus-and-saraswati-sites-have.

"Water Buffalo". Johne's Information Center. University of Wisconsin-Madison, 2022, https://johnes.org/other-animals/water-buffalo/

"What Did the Indus Valley People Trade?". Tutorials Point, 30 de julio de 2019, https://www.tutorialspoint.com/what-did-the-indus-valley-people-trade#

Wood, Michael. *In Search of the First Civilization.* London: BBC Books, BBC Worldwide LLC 2005.

Milton Keynes UK
Ingram Content Group UK Ltd.
UKHW022236010124
435322UK00006B/302